PREMIER SANG

AMÉLIE NOTHOMB

PREMIER SANG

roman

ALBIN MICHEL

IL A ÉTÉ TIRÉ DE CET OUVRAGE

Trente-cinq exemplaires
sur vergé blanc chiffon, filigrané, de Hollande
dont vingt-cinq exemplaires numérotés de 1 à 25
et dix exemplaires, hors commerce, numérotés de I à X

« Mon père est un grand enfant
que j'ai eu quand j'étais tout petit. »

Sacha Guitry

On me conduit devant le peloton d'exécution. Le temps s'étire, chaque seconde dure un siècle de plus que la précédente. J'ai vingt-huit ans.

En face de moi, la mort a le visage des douze exécutants. L'usage veut que parmi les armes distribuées, l'une soit chargée à blanc. Ainsi, chacun peut se croire innocent du meurtre qui va être perpétré. Je doute que cette tradition ait été respectée aujourd'hui. Aucun de ces hommes ne semble avoir besoin d'une possibilité d'innocence.

Il y a une vingtaine de minutes, quand j'ai entendu crier mon nom, j'ai su aussitôt ce que cela voulait dire. Et je jure que j'ai soupiré de soulagement. Puisqu'on allait me tuer, il ne serait plus nécessaire que je parle. Cela fait quatre mois que je négocie notre survie, quatre mois que je me lance dans des palabres interminables afin d'ajourner notre assassinat. Qui va défendre les autres otages à présent ? Je l'ignore et cela m'angoisse, mais une part de moi est réconfortée : je vais enfin pouvoir me taire.

Dans le véhicule qui m'emmenait au monument, j'ai regardé le monde et j'ai commencé à m'apercevoir de sa beauté. Dommage d'avoir à quitter cette splendeur. Dommage, surtout, d'avoir mis vingt-huit années d'existence à y être à ce point sensible.

On m'a jeté hors du camion et le contact avec la terre m'a enchanté : ce sol si accueillant et tendre, comme je l'aime ! Quelle planète charmante ! Il me semble que je pourrais l'apprécier tellement plus. Là aussi, il est un peu tard. Pour un peu, je me réjouirais à l'idée que mon cadavre y soit abandonné sans sépulture dans quelques minutes.

Il est midi, le soleil dessine une lumière intransigeante, l'air distille des odeurs affolantes de végétation, je suis jeune et plein de santé, c'est trop bête de mourir, pas maintenant. Surtout ne pas prononcer de paroles historiques, je rêve de silence. Le bruit des détonations qui vont me massacrer déplaira à mes oreilles.

Dire que j'ai envié à Dostoïevski l'expérience du peloton d'exécution ! À mon tour d'éprouver cette révolte de mon être intime. Non, je refuse l'injustice de ma mort, je demande un instant de plus, chaque moment est si fort, rien que de savourer l'écoulement des secondes suffit à ma transe.

Les douze hommes me mettent en joue. Est-ce que je revois ma vie défiler devant moi ? La seule chose que je ressens est une révolution extraordinaire : je suis vivant. Chaque moment est sécable à l'infini, la mort ne pourra pas me rejoindre, je plonge dans le noyau dur du présent.

Le présent a commencé il y a vingt-huit ans. Aux balbutiements de ma conscience, je vois ma joie insolite d'exister.

Insolite parce que insolente : autour de moi régnait le chagrin. J'avais huit mois quand mon père est mort dans un accident de déminage. Comme quoi, mourir est une tradition familiale.

Mon père était militaire, il avait vingt-cinq ans. Ce jour-là, il devait apprendre à déminer. L'exercice tourna court : par erreur, on avait placé une vraie mine à la place de la fausse. Il mourut au début de 1937.

Deux années plus tôt, il avait épousé Claude, ma mère. C'était le grand amour comme on le vivait en cette Belgique des bons milieux qui évoque si singulièrement le dix-neuvième siècle :

13

avec retenue et dignité. Les photos montrent un jeune couple se promenant à cheval en forêt. Mes parents sont très élégants, ils sont beaux et minces, ils s'aiment. On dirait des personnages de Barbey d'Aurevilly.

Ce qui me sidère sur ces photos, c'est l'air heureux de ma mère. Je ne l'ai jamais vue ainsi. L'album de photos de leur mariage se termine sur les clichés d'un enterrement. À l'évidence, ma mère avait prévu d'écrire les légendes des photographies plus tard, quand elle en aurait le temps. En fin de compte, elle n'en a pas eu le désir. Sa vie d'épouse comblée a duré deux années.

À vingt-cinq ans, elle trouva son expression de veuve. Elle ne quitta jamais ce masque. Même son sourire était figé. La dureté s'empara de ce visage et le priva de sa jeunesse.

Son entourage lui dit :

– Au moins, vous avez la consolation d'avoir un enfant.

Elle tournait la tête vers le berceau et voyait

un joli bébé à l'air content. Cela la décourageait, cette jovialité.

À ma naissance, pourtant, elle m'avait aimé. Son premier enfant était un garçon : on l'avait félicitée. À présent, elle savait que je n'étais pas son premier mais son unique enfant. L'idée qu'il lui faille remplacer son amour pour son époux par l'amour d'un enfant l'indignait. Personne, bien sûr, ne le lui avait proposé en ces termes. C'est ainsi cependant qu'elle l'entendit.

Le père de Claude était général. Il trouva la mort de son gendre très acceptable. Il ne la commenta pas. La Grande Muette avait en lui son grand muet.

La mère de Claude était une femme tendre et douce. Le sort de sa fille l'épouvanta.

– Confie-moi ton chagrin, ma pauvre chérie.

– Arrête, Maman. Laisse-moi souffrir.

– Souffre, souffre un bon coup. Cela n'aura qu'un temps. Après tu te remarieras.

– Tais-toi ! Jamais, entends-tu, je ne me remarierai. André était et est l'homme de ma vie.

– Bien sûr. Maintenant, tu as Patrick.

– Quelle drôle de façon de parler !

– Tu l'aimes, ton fils.

– Oui, je l'aime. Mais je veux les bras de mon mari, son regard. Je veux sa voix, ses paroles.

– Veux-tu revenir vivre à la maison ?

– Non. Je veux habiter mon appartement de femme mariée.

– Me confierais-tu Patrick pendant quelque temps ?

Claude haussa les épaules en signe d'assentiment.

Ma grand-mère, toute contente, m'emporta. Cette femme, qui avait une fille et deux fils adultes, se réjouit de l'aubaine : elle avait à nouveau un poupon.

– Mon petit Patrick, que tu es joli, quel amour !

Elle me laissa pousser les cheveux et me vêtit de costumes de velours noirs ou bleus, avec des cols de dentelle de Bruges. J'avais des bas de soie et des bottines à boutons. Elle me prenait dans ses bras et me montrait mon reflet dans le miroir :

– As-tu déjà vu un si bel enfant que toi ?

Elle me regardait avec tant d'extase que je me croyais beau.

– As-tu vu tes longs cils d'actrice, tes yeux bleus, ta peau pâle, ta bouche exquise, tes cheveux noirs ? Tu es à peindre.

Cette idée lui resta. Elle convia sa fille à une séance de pose avec moi, devant un peintre connu à Bruxelles. Claude refusa. Sa mère sut qu'elle l'aurait à l'usure.

Ma mère s'était lancée dans les mondanités. Elle n'appréciait guère les réceptions mais elle ne songeait pas à aimer ce qu'elle faisait. Cette jeune femme promenait un deuil d'une élégance saisissante devant des spectateurs en mesure de le comprendre et de lui renvoyer l'image voulue. Cela suffisait à ses aspirations.

Le matin, elle se réveillait en pensant : « Que vais-je porter ce soir ? » La question meublait sa vie. Elle passait ses après-midi chez les grands couturiers, enthousiastes d'avoir à habiller un si noble désespoir. Sur ce corps grand et maigre, les robes et les tailleurs avaient un tombé parfait.

Le sourire figé de Claude apparut sur la quasi-totalité des photos de soirées du gotha belge, dès 1937. On l'invitait partout, avec le sentiment que sa présence garantissait la bonne tenue, le bon goût de la réception.

Les hommes savaient que la courtiser ne représentait aucun danger : elle ne céderait pas. Pour cette raison, ils lui faisaient la cour. C'était une occupation agréable.

J'aimais ma mère d'un amour désespéré. Je la voyais peu. Chaque dimanche midi, elle venait déjeuner chez ses parents. Je levais les yeux vers cette femme magnifique et j'accourais, bras ouverts. Elle avait une manière spéciale d'éviter l'étreinte, elle me tendait les mains afin de ne pas me soulever. Était-ce de peur de ruiner sa belle toilette ? D'un sourire crispé, elle disait :

– Bonjour, Paddy.

La mode était à l'anglicisme.

Elle me regardait des pieds à la tête avec une

déception gentille que je ne parvenais pas à analyser. Comment aurais-je pu comprendre que, toujours, elle espérait retrouver son époux ?

À table, ma mère mangeait très peu et très vite. Il fallait expédier le devoir de porter des aliments à sa bouche. Ensuite, elle sortait de son réticule un superbe étui à cigarettes et fumait. Son père la fusillait du regard : une femme n'était pas censée fumer. Elle détournait les yeux avec un mouvement de mépris qu'elle croyait discret. Si elle avait pu parler, elle eût dit : « Je suis une femme malheureuse. Que cela me donne au moins le droit de fumer ! »

– Eh bien ma Claude, raconte, demandait Bonne-Maman.

Maman disait le cocktail chez Untel, sa conversation si intéressante avec Mary, le divorce probable de Teddy et Anny, le tailleur un peu ridicule de Katherine – elle prononçait tous les prénoms à l'anglaise et appelait ses parents Mommy et Daddy. Son regret était qu'il n'existe pas de « charmant diminutif anglicisant » pour son propre prénom.

Elle parlait vite en articulant à peine et en tapant les T, persuadée que les Anglais prononçaient de la sorte :

— Je vais à un thé chez Tatiana. Tu vois, elle n'est pas aussi dépressive qu'elle le prétend.

— Et si tu y emmenais Patrick ?

— Tu n'y penses pas, Mommy, il s'ennuierait à périr.

— Non, Maman, j'aimerais beaucoup t'y accompagner.

— N'insiste pas, mon chéri, il n'y aura pas d'enfants.

— J'ai l'habitude qu'il n'y ait pas d'enfants.

Elle soupirait en levant un peu le menton. Cette expression me tuait : je comprenais que j'avais commis une faute aux yeux de cette femme inaccessible et sublime.

Bonne-Maman sentait que je souffrais.

— Allez vous promener au parc tous les deux, le petit a besoin d'air.

— L'air, l'air, toujours l'air !

Combien de fois ai-je entendu ma mère dire cela ? Elle trouvait absurdes ces considérations hygiénistes sur la nécessité de s'aérer. Respirer lui paraissait surfait.

Quand elle partait, j'étais aussi triste que soulagé. Ce qui me désolait le plus était de comprendre qu'elle partageait mon double sentiment. Claude m'embrassait, me jetait un regard brisé et disparaissait à pas rapides. Ses chaussures à talons faisaient en s'éloignant un bruit superbe qui me rendait malade d'amour.

J'eus quatre ans. C'était la guerre. Je savais que c'était grave.

– Que veux-tu pour ton anniversaire ? demanda Bonne-Maman.

Je n'avais aucune idée de ce dont j'aurais pu avoir envie.

– Puisque tu n'as pas d'idée, je propose que tu poses dans les bras de ta maman pour le meilleur portraitiste de Bruxelles. Il vous peindra tous les deux, il faudra être sage, cela prendra du temps.

La seule chose que j'entendis dans cet énoncé, c'était : « dans les bras de ta maman ». J'acceptai avec enthousiasme.

Claude manifesta moins d'excitation quand sa mère l'invita à poser. Pourtant, cette fois, elle ne se déroba pas, parce que le peintre en question avait la cote dans les bons milieux.

Maman arriva au jour dit, vêtue d'une robe somptueuse, décolletée de dentelles faussement modestes. Le peintre, monsieur Verstraeten, la regarda avec une admiration qui me remplit de fierté. Bonne-Maman m'avait habillé d'un costume de velours noir avec un grand col de dentelle blanche.

Monsieur Verstraeten pria Claude de s'asseoir dans un fauteuil et fut subjugué par l'élégance immédiate de sa posture. Il savait qu'il fallait m'intégrer au portrait et en semblait désolé.

– Nous pourrions asseoir la demoiselle sur vos genoux, adossée au bras du fauteuil, proposa-t-il.

– C'est un jeune homme, dit Maman.

Ce détail n'intéressait guère le peintre, qui me disposa comme un accessoire sur ma mère, heureux que je n'occupe pas beaucoup de place.

– Madame, pourriez-vous mettre vos mains

autour de l'enfant, je vous prie ? Elles sont si belles.

Être effleuré par les mains de Maman me procurait un plaisir trouble. La pose dura des siècles et se reproduisit plusieurs après-midi. À chaque fois, sentir sous moi le corps anguleux de ma mère m'électrisait.

– Que votre enfant est sage ! dit le peintre pour flatter Claude.

Elle se garda de répondre qu'elle n'y était pour rien. Pour la première fois, je lui donnais un motif de fierté : le roi n'était pas mon cousin.

Nous n'eûmes le droit de voir le tableau que quand il fut terminé. Nous découvrîmes une splendeur qui ne nous ressemblait guère. Avant même d'y poser les yeux, je scrutai le visage de ma mère, afin de savoir si j'étais autorisé à l'aimer. Maman eut l'air éblouie : le peintre l'avait représentée en état d'attente amoureuse, effaçant de son visage la dureté pour la remplacer par une douceur attentive. En majesté, la femme du tableau était la duchesse de Guermantes au temps de sa jeunesse, accueillant un hôte de marque et tenant sur ses genoux, en guise de lévrier de race, un petit ange au sexe indéterminable, gracieux et rêveur.

Monsieur Verstraeten demanda son verdict à ma mère qui aussitôt prit un air désapprobateur :

– On croirait que ce n'est pas nous.

– J'ai peint ce que j'ai vu, madame.

– Et où avez-vous vu que mon fils avait sept ou huit ans ?

En effet, j'avais l'air plus âgé sur la toile. L'artiste dit cette chose énorme :

– Je voulais que le portrait soit intemporel.

Il y avait mille arguments logiques à rétorquer. Ma mère se contenta de conclure :

– Enfin, c'est très chic. Nous vous remercions, monsieur.

Le peintre se sut congédié et s'en alla, non sans avoir été payé une fortune.

Bonne-Maman arriva qui s'écria :

– Je n'ai jamais vu un portrait aussi magnifique !

– Voyons, Mommy, tu exagères.

– Et toi, Patrick, qu'en penses-tu ?

Je réunis tout mon courage pour oser contredire ma mère :

– J'adore, c'est tellement beau.

– Évidemment, dit Claude, c'est le goût d'un enfant, avec ces couleurs *peach and cream*.

Je ne comprenais pas le langage qu'elle parlait mais je ne me rétractai pas.

– C'est ton cadeau d'anniversaire, mon chéri, se réjouit Bonne-Maman. On le mettra dans ta chambre.

– Un Verstraeten près du lit d'un enfant de quatre ans ! s'offusqua Claude.

– Le veux-tu chez toi ? interrogea ma grand-mère.

Il y eut une ambiguïté que je fus peut-être seul à entendre : était-il question du tableau ou de moi ? La réponse n'en fut que plus cuisante :

– Puisque je te dis qu'il ne me plaît pas !

Bonne-Maman ne sut jamais le bien qu'elle me fit en ajoutant ce commentaire qui brisa l'ambiguïté :

– Ma chérie, je te rappelle qu'il s'agit du meilleur portraitiste de Bruxelles.

– Quand ce serait un Greuze, j'aurais le droit de ne pas l'aimer. Allons, il est dix-huit heures, je suis attendue.

Elle nous embrassa à la hâte et fila. Bonne-Maman et moi restâmes longtemps à admirer l'œuvre d'art, en un élan de connivence qui jaillissait du fond de notre cœur. Depuis, jamais tableau ne m'a inspiré tant de joie. La dame représentée, c'était ma mère comme je la rêvais : heureuse, éveillée, d'une beauté supérieure, rayonnante et, surtout, me tenant sur ses genoux avec tendresse.

Bonne-Maman commanda un encadrement doré et pompeux qui porta mon contentement d'alors à son comble et l'immense portrait fut placé dans ma chambre, face à mon lit. Ainsi, la nuit, je m'endormais en contemplant une icône maternelle de plus en plus fictive.

Par la suite, je me suis souvent demandé pour-quoi ma mère déclarait ne pas aimer un tableau que je l'avais vue aimer au premier regard. Bien sûr, on pouvait interpréter cette attitude de façon banale : Claude n'aurait pas pris le risque d'apprécier une œuvre qui n'avait pas été cau-tionnée par un connaisseur, en pareille circons-tance, on passe moins pour une simplette en n'aimant pas qu'en aimant. Mais je soupçonne un motif plus profond : ce qu'elle avait vu sur le portrait, c'était une femme consentante. Et en effet, le temps de la pose, un charme opéra entre elle et le peintre. De s'être pour ainsi dire sur-prise en flagrant délit de séduction sur la per-sonne d'un homme qui n'était pas feu son mari, Claude avait eu honte. Détester le Verstraeten équivalait à nier cet écart qu'elle jugeait indigne vis-à-vis de son mari.

Je ne suis jamais devenu quelqu'un dont le goût artistique vaille. Il se trouve que j'aime ce tableau et l'ai toujours emporté, où que j'aie vécu. Les gens y voient un portrait du dix-neuvième siècle et je les comprends. Quand je révèle l'identité de cette mère et de cet enfant, les spectateurs tombent des nues. On a du mal à me reconnaître en ce petit page. La conclusion ne manque jamais d'être : « Que votre mère était belle ! » Et j'avoue que cette appréciation me comble, comme l'image de ce bonheur qui n'a existé que le temps d'une séance de pose.

Peu à peu, je m'aperçus que la représentation de Claude fonctionnait mieux qu'elle. Le peintre ne l'avait pas uniquement embellie, il l'avait surtout rendue plus présente : par son regard posé sur elle, il avait réussi à faire résider son âme là où siégeait son corps, et cette si rare coïncidence habitait ma mère d'une force extraordinaire.

Maman, ce n'était plus cette femme, c'était le tableau.

Seul de son espèce, mon grand-père vit que quelque chose n'allait pas.

– Cet enfant ne fréquente que des vieux. Qu'on le mette à l'école maternelle.

Il y en avait une au coin de la place de Jamblinne de Meux. Bonne-Maman me prit par la main et m'y mena en me parlant doucement comme pour endormir ma méfiance, ce qui la décupla.

Ô stupeur, je découvris qu'il existait d'autres enfants. Un hasard voulut que j'atterrisse dans une classe de filles. Ceci me réconforta : mon unicité se trouva rétablie.

Les petites filles m'aimèrent. Elles déclarèrent que, contrairement aux garçons en général, j'étais gentil et agréable. J'en conçus du plaisir.

Avec elles, j'appris à jouer à la poupée et à sauter à la corde.

Il fallut au moins deux ans à Bon-Papa pour remarquer que l'école ne m'aguerrissait pas. Il s'adressa à sa fille en ces termes :

— Ton fils a six ans, il va commencer l'école primaire. Il n'est pas prêt.

— Pourquoi dis-tu cela, Daddy ? Il connaît déjà son alphabet.

— Ne t'aveugle pas, il est trop tendre. Ma chérie, il n'y a qu'une solution : il faut l'envoyer passer l'été chez les Nothomb.

Maman blêmit.

— Le pauvre petit !

— Je te rappelle que tu as épousé l'un d'entre eux.

— J'ai épousé le seul Nothomb qui n'était pas un barbare.

— Tu as épousé le militaire de la famille, il avait beaucoup de tenue. Mais tu vois bien que Patrick a besoin d'un peu de dureté que ta mère est incapable de lui prodiguer. Cet enfant s'amollit, il est grand temps de le reprendre en main.

– De là à le confier aux Nothomb !

Bon-Papa n'était pas homme à renoncer à ses projets. Il avertit les Nothomb de mon arrivée imminente.

J'étais très excité : j'allais enfin savoir de quelle tribu je portais le nom.

– Maman, m'accompagnes-tu ?

– Je ne peux plus aller au Pont d'Oye, j'y ai des souvenirs qui me sont devenus cruels.

Bonne-Maman pleura :

– Mon pauvre petit, j'ai peur pour toi.

Où m'envoyait-on ?

La mort dans l'âme, Bonne-Maman coupa mes longues anglaises.

– Tu as l'air d'un garçon, maintenant, dit-elle avec une joie forcée.

Elle remplit ma valise, outre de vêtements, de paquets de biscuits, de sachets de cacao à mélanger avec du lait, de gâteries diverses et variées.

– Je t'accompagnerai en train au Pont d'Oye, dit-elle.

– Pas question, intervint Bon-Papa. C'est moi qui l'accompagnerai.

– Qu'est-ce que le Pont d'Oye ? demandai-je.

– C'est le château des Ardennes où habitent les Nothomb.

Un château : mon impatience décupla. J'imaginai des douves et un pont-levis.

Le 1er juillet, à la gare du quartier Léopold, Bon-Papa et moi prîmes le train. Il fallait quatre heures pour aller de Bruxelles à Arlon. Le vieil homme avait revêtu sa tenue de général et moi mon costume marin. Assis à côté de la fenêtre, je voyais défiler un paysage de plus en plus sauvage. Dès Jemelle, ce fut la grande forêt des Ardennes, dont la splendeur m'interdit.

Bon-Papa arborait une expression sombre. Je ne comprenais pas qu'il accomplissait son devoir et que j'allais vivre une initiation.

À la microscopique gare de Habay-la-Neuve nous attendait une charrette tirée par deux chevaux, conduite par l'homme à tout faire des Nothomb qui s'appelait Ursmar. J'exultai de parcourir en cet équipage les six kilomètres qui

nous séparaient du Pont d'Oye. Bon-Papa affi-
chait désormais un air terrible.

Au loin, je vis une tour jaillir de la forêt. Le
Pont d'Oye m'étonna plus qu'il ne me déçut. Vu
d'ici, il paraissait encaissé ; à mesure que l'on s'en
approchait, on le découvrait érigé sur un promon-
toire. Le moins qu'on puisse dire est qu'il ne ressemblait pas à un château fort : on aurait pu créer
pour lui l'appellation de château faible. Cette élégante bâtisse du dix-septième siècle avait connu
des jours meilleurs. Sa beauté, qui consistait surtout dans son emplacement, adossé à la haute
forêt et surplombant le lac, sentait le délabre-
ment. Ce qui le sauvait était sa couleur, un lavis de
coq-de-roche qui, à la lumière du soleil, se décli-
nait en nuances d'ocre rose et de pêche de vigne.

L'énorme porche en imposait. À peine l'eut-
on franchi que je fus sous le charme : le Pont
d'Oye devenait alors une proposition d'agré-
ment, une façade riche de fenêtres, un jardin
foisonnant de rosiers sauvages, une allée de gra-
vier au bout de laquelle se dressait un monsieur
aux allures de seigneur.

Bon-Papa murmura :

– Et voici le baron.

Son ton grinçait d'ironie. Le baron marcha à notre rencontre en se répandant en paroles exquises :

– Mon cher général, quelle surprise ! Si j'avais su, j'aurais envoyé ma voiture vous chercher à Bruxelles.

– Bonjour, Pierre. Depuis quand avez-vous une voiture ?

– Je ne sais plus, mon ami, dit cet homme considérable en se figeant devant moi comme s'il venait à peine de remarquer mon existence.

– Enfant beau comme un astre, tu es Patrick, mon premier petit-fils, l'enfant de mon premier-né trop tôt moissonné par la mort.

Il plongea son regard auguste au fond du mien.

– Sache, mon Patrick, qu'en tant que premier fils de mon premier fils, tu es appelé à devenir le chef de cette famille. Un jour, tu régneras sur ce château.

Ce qu'il disait était aussi ahurissant que la

PREMIER SANG

manière dont il parlait. J'étais aussi terrifié que
séduit.

Bon-Papa ne partageait visiblement pas mon
engouement :

— Pierre, puisque les présentations sont faites,
je m'en vais. Ursmar va me reconduire à la gare.

— Mon général, vous n'y pensez pas !

— Le train ne m'attendra pas. Au revoir,
Patrick, je reviendrai te chercher le 31 août.
Bonnes vacances !

Tandis que le militaire s'éloignait, Pierre
Nothomb me demanda quel nom je lui donnais.

— Bon-Papa, répondis-je.

— Parfait. Tu m'appelleras donc Grand-Père.

— Bon-Papa a dit que vous êtes baron.

— Il a raison. À ma mort, tu le seras aussi.

— Qu'est-ce que cela veut dire ?

— Comment t'expliquer ? Un baron, c'est
quelqu'un comme moi.

Je hochai la tête en signe de compréhension.

— Et où est ma grand-mère ?

— Cette femme vénérable est morte il y a longtemps déjà. Je me suis remarié il y a une quinzaine

d'années avec une autre femme délicieuse que tu appelleras Grand-Mère. Et d'ailleurs la voici.

Arriva une femme beaucoup plus jeune que son mari. Grand-Mère avait une quarantaine d'années, des cheveux blonds et un sourire plein de bonté. Elle m'embrassa gentiment et partit vaquer à des occupations que je devinai nombreuses. Il me fallut du temps pour remarquer l'épuisement que cachait sa grâce.

Grand-Père, lui, était en pleine forme. Il m'emmena marcher dans ce qu'il nommait les allées du parc, c'est-à-dire dans le jardin.

– Aimes-tu la poésie, Patrick ?

– C'est les récitations, n'est-ce pas ?

– Si on veut. Rien n'importe autant que la poésie. Vois-tu, je suis poète.

– C'est vous qui inventez les récitations ?

– On peut dire cela.

Pourquoi Bonne-Maman s'était-elle apitoyée sur mon sort ? Quel mal y avait-il à être envoyé en ce lieu magnifique, auprès de cet homme superbe qui s'adressait à moi avec des égards formidables ?

– Je voudrais, Patrick, que tu lises mes poèmes et que tu me confies ton opinion.

– Je sais lire, donc c'est d'accord.

– Tu sais lire ? Quel âge as-tu ?

– Six ans.

– Le plus jeune de mes fils a ton âge. Je doute qu'il sache lire.

– Grand-Père, vous avez un fils de mon âge ?

– Oui. Cela prend du temps vois-tu, d'avoir treize enfants. Tu es le fils de feu mon premier-né et Charles est mon treizième. Quand est ton anniversaire ?

– Le 24 mai.

– Charles est du 3 mai. Vous êtes nés le même mois de la même année.

– Où sont-ils, vos enfants ?

– Ceux de mon premier mariage sont grands ou morts. J'ai perdu trois enfants : ton père et mes petites Louise et Marisabelle, mortes en bas âge. Ceux de mon deuxième mariage doivent batifoler dans la forêt. Tu les rencontreras bien assez tôt. Je te fais visiter ?

Grand-Père m'emmena cérémonieusement à

l'intérieur du château et me montra les salons avec autant d'emphase qu'à Versailles. Je n'avais jamais vu de lieu aussi grandiose. Il m'était impossible de voir la réalité plutôt misérable de ce logis, tant le discours qui l'accompagnait sonnait les trompettes du faste.

Pierre Nothomb avait baptisé les moindres pièces du Pont d'Oye. Même les toilettes – les seules de cette immense bâtisse – portaient un nom : le Trianon. La visite me fascina ; j'allais passer deux mois en cet édifice auguste, quel honneur !

Grand-Mère nous rejoignit et annonça à son époux l'arrivée de la marquise de Je-ne-sais-quoi. Grand-Père s'excusa auprès de moi :

– La marquise m'attend.

Par la fenêtre, je le vis trotter jusqu'à une dame endimanchée, devant laquelle il exécuta des parades qui ressemblaient aux gonflements du jabot et aux courbettes du pigeon tentant le coup avec une pigeonne.

– Où est ta valise, mon chéri ? demanda Grand-Mère.

– J'ai dû la laisser sous le porche.

– Allons la chercher.

Elle porta le bagage jusqu'au troisième étage, qui était une sorte de long grenier vétuste aménagé en dortoir.

– C'est ici que tu logeras.

Elle trouva un lit manifestement non attribué et posa la valise dessus. La galerie était dans un désordre indescriptible. Entre les hardes sales et les oreillers défoncés, on ne savait où marcher.

Je faillis demander dans quelle armoire je pourrais disposer mes affaires quand je m'aperçus qu'il n'y avait aucun rangement.

C'est alors que s'éleva une clameur que je ne suis pas près d'oublier.

– Les enfants sont rentrés, annonça Grand-Mère.

Fut-ce par perfidie qu'elle m'abandonna alors ? Elle disparut, me laissant seul pour rencontrer ceux qui légalement étaient mes oncles et tantes et qui s'avérèrent une horde de Huns.

Une tornade de grands enfants envahit le dortoir. Ils me parurent effroyablement nombreux, tant ils étaient bruyants, remuants et résolus à écumer les visiteurs. Montés en graine, maigres, violents, vêtus de haillons, les enfants Nothomb m'aperçurent et se jetèrent sur moi comme une meute de chiens sur un gibier.

Des sauvages que j'étais incapable de différencier en filles ou en garçons m'attrapèrent en hurlant :

– Ça porte un costume marin et c'est bien nourri !

Allaient-ils me manger ? J'eus un réflexe de survie.

– Il y a des provisions dans ma valise, déclarai-je.

La tribu me laissa tomber sur le plancher et

se rua sur le bagage qui fut dépecé en moins de temps qu'il ne faut pour l'écrire.

Celui qui avait l'air de commander, un individu d'une dizaine d'années, réunit le butin :

– Des petits-beurre, du cacao, des barres de Côte d'Or, tu fais de la contrebande ou quoi ?

– Simon, distribue, on a faim ! cria une voix de fille.

S'ensuivit une scène cruelle, où Simon jeta les paquets en fonction de ses préférences fraternelles, laissant gémir de souffrance ceux qu'il avait décidé de léser. Il garda pour lui les meilleures friandises puis autorisa à dévorer.

Ce fut la curée. Les enfants qui n'avaient rien reçu vinrent mendier auprès des mieux pourvus, qui se montrèrent à peine plus généreux que Simon.

Quand il ne resta plus rien de comestible, le chef s'adressa à moi :

– Tu es Patrick, mon neveu. Tu me dois le respect.

– Puis-je vous tutoyer ?

– Si tu poses beaucoup de questions aussi ridicules, je vais t'en coller une.

Je me tins à carreau.

Peu à peu, je m'aperçus que la horde qui m'avait paru si nombreuse ne comportait que cinq membres. Pourquoi avais-je eu l'impression qu'ils s'étaient à ce point démultipliés ? Était-ce dû à leur façon de ne jamais rester en place ou au talent que cette bande avait pour nuire ?

Surtout, comment était-il possible que ces cinq malfrats aient été engendrés par la femme douce et l'homme gracieux qui m'avaient reçu ?

Comme ils avaient encore faim, ils fouillèrent les vêtements de ma valise, dans l'espoir que quelque gâterie y soit cachée. Chaque habit était exhibé et commenté :

– Une chemise de soie blanche avec un col de dentelle ! Moi qui suis une fille, je n'en possède pas.

– Je te l'offre.

45

– C'est malin, j'ai treize ans, comment veux-tu que j'entre là-dedans ?

Treize ans : cela me parut à peine croyable. À mes yeux, une personne de cet âge eût dû être presque adulte, quand cette fille malingre semblait condamnée à l'enfance.

Simon prit la parole :

– J'avais d'abord pensé à déchirer tes frusques. Et puis non, ce serait te rendre service. La vraie méchanceté, c'est de te laisser les porter en l'état.

On entendit retentir une cloche.

– À table ! hurla la meute en me lâchant et en se précipitant vers l'escalier.

Il me fallut du sang-froid pour rejoindre la tribu dans la salle à manger. Le moins qu'on puisse dire, c'est que l'on ne m'y attendait pas.

Le maître et la maîtresse de maison étaient assis au bout d'une longue table et entourés d'une jeune fille de dix-huit ans et d'un garçon de seize ans, qui appartenaient à une autre sphère. Le peuple des enfants occupait la moitié déshéritée de la table, celle où il n'y avait pas même de pain. Il allait de soi que j'y avais, sinon ma place, du moins mon emplacement.

Mon grand-père prit un plat de viande et se servit, ensuite il tendit le plat à son épouse, qui en prit aussi peu que son mari en avait pris beaucoup et le passa après à la jeune fille. Ainsi procéda-t-on avec chaque plat.

Je m'étais assis à côté de Charles, mon presque jumeau. Le garçonnet tendait le cou pour regarder les plats et calculait à voix basse : « Jean se sert, après ce sera Lucie, puis Simon, bon, je n'aurai pas de viande, peut-être aurai-je des pommes de terre... »

Le droit d'aînesse se traduisait chez les Nothomb d'une manière alimentaire : plus on était âgé, plus on pouvait espérer manger. Quand les plats arrivèrent à Charles et moi, ils étaient presque vides.

Simon, qui n'avait pas l'assiette beaucoup plus remplie que la nôtre, parvint à subtiliser la corbeille de pain de la partie adulte de la table.

Nous fûmes trop contents d'en attraper chacun un morceau.

Je sympathisai avec Charles en lui demandant les prénoms de chacun.

– À la table des grands, il y a les parents. La fille, c'est Marie-Claire, le garçon, c'est Jean. Et puis il y a nous : Lucie, Simon, Colette, Donate et moi.

– Il y a des enfants qui manquent, calculai-je.

– Oui, des adultes : Paul, Dominique et Jacqueline, qui vivent leur vie.

– Pourquoi seuls les grands ont de quoi manger ?

– C'est comme ça. Si tu atteins l'âge de seize ans, tu seras nourri.

– Toi et moi, on a encore dix années à attendre, déclarai-je.

– C'est pas gagné. Mais toi, tu n'es ici que pour les vacances. Tu survivras.

J'éprouvai une admiration profonde pour ces enfants qui supportaient des conditions d'existence aussi spéciales. Si j'avais été plus âgé, j'aurais songé à m'insurger contre un règlement à ce point scandaleux. À six ans, je n'avais qu'une obsession : m'adapter.

Tout en grignotant mon croûton de pain, j'observai mon grand-père. Vêtu d'un costume élégant, il parlait avec égard à son épouse charmée et à ses aînés. Il semblait ne pas remarquer les enfants loqueteux et malingres qui occupaient le bout de la table et qui ne recevaient aucune éducation en dehors d'un darwinisme pur et dur.

La cuisinière apporta le dessert : une bassine de compote de rhubarbe, qui circula dans l'ordre des préséances et n'arriva pas complètement vidée devant Charles et moi. Je dégustais ma part avec délice quand le patriarche se leva, écarta les bras et annonça :

– Je vais dire une parole éternelle.

Jamais je n'avais entendu une voix aussi emphatique. Chacun posa sa cuiller d'un air résigné.

Après un silence destiné à sertir ce qui allait être dit, Grand-Père déclara :

– La rhubarbe est le rafraîchissement de l'âme.

Il regarda l'effet de ce mot d'auteur sur son public et puis se rassit. D'un geste, il signifia que l'on pouvait recommencer à manger et à parler.

– Qu'est-ce qu'il a dit ? demandai-je à Charles.

– Que la rhubarbe rafraîchissait l'âme.

– Oui, j'ai entendu. Mais ça sort d'où ?

– De lui. Il vient de l'inventer, alors il partage. C'est de la poésie.

– La poésie, ça rime, non ?

– Pas forcément.

Quand les assiettes furent ratiboisées, Pierre Nothomb se redressa, plus seigneurial que jamais, et entraîna les adultes au salon. Les enfants coururent dehors, je les accompagnai. Il faisait lumineux comme en plein jour et Simon décida qu'on allait à la prairie jouer au football.

– Normalement, il faut deux équipes de onze joueurs. Nous sommes six. Aucun problème : Patrick est gardien de but et nous jouons tous contre lui.

Il posa par terre deux rondins, délimitant un espace de trois mètres.

– Ça, c'est le but. Patrick, tu dois empêcher le ballon d'y entrer.

Je m'installai devant le but, le cœur battant. Les cinq enfants m'attaquèrent à coups de ballon. Je ne savais où me placer, il me fallait bouger sans cesse pour protéger l'espace qui relevait de ma juridiction.

Le premier but fut marqué par Colette après deux minutes de jeu :

– Une fille, en plus ! ricana Simon.

– C'est la première fois que je joue, dis-je en manière d'explication.

– Ça se voit. Les bons *goalkeepers* se jettent au sol pour faire rempart de leur corps. Toi, tu sautilles comme un farfadet devant le but.

Piqué, je passai le reste de la partie à me jeter au sol. J'avais si peu d'instinct que je choisissais toujours le mauvais côté. J'encaissai une trentaine de buts.

– Tu es lamentable, conclut Simon.

À la nuit tombée, Grand-Mère vint nous

ordonner d'aller au lit. Elle poussa un cri en me voyant.

– Patrick, qu'est-il arrivé à ton joli costume marin ?

Je me regardai : mon vêtement était si taché de boue que la couleur d'origine se devinait à peine.

– Ça m'est égal, dis-je crânement.

Je le pensais. J'avais adoré cette expérience.

Au dortoir, chacun se déshabilla. Les enfants étaient si maigres que j'avais presque l'air dodu. Je revêtis un pyjama en pilou bleu ciel quand les autres s'emballèrent dans d'indescriptibles haillons troués. Le lit me parut d'un inconfort stupéfiant.

La bande s'endormit aussitôt. Je fus long à trouver le sommeil. On entendait courir les souris contre les murs. Le toit faisait des craquements qui suggéraient la tentative d'effraction d'un ou plusieurs fantômes. Comment surmonter la terreur que cela m'inspirait ?

Bon-Papa me disait souvent : « Tu dois t'endurcir. » Je commençai à comprendre ce que cela signifiait : j'avais le corps aussi tendre que l'âme. Si je voulais survivre aux deux mois qui m'attendaient, il allait falloir transformer ma douce constitution en armure.

Hélas, comment procéder ? Déjà, comment lutter contre la peur de la nuit ? « Raccroche-toi à quelque chose de sympathique », pensai-je.

À cet instant, une chouette hulula dans la forêt toute proche. Jamais je n'avais entendu cela. Ce cri me déchira le cœur. Si j'avais dû exprimer ce que je ressentais depuis mon arrivée, j'aurais trouvé ce hurlement si pur qui disait pêle-mêle l'extase et l'appel au secours. J'éprouvais les mêmes émotions impossibles à démêler. Oui, j'étais exalté au dernier degré d'être là, autant que j'en étais désespéré.

La chouette me comprenait. Je n'étais pas seul. Cette conviction me sauva. Je sombrai dans le sommeil.

Pour le petit garçon de la ville, ivresse de s'éveiller au cœur de la forêt bruissante du matin. Il me fallut un certain temps pour comprendre que les enfants étaient déjà descendus. Pas mécontent de ma solitude, je m'habillai et rejoignis la cuisine.

Une femme hagarde, qui la veille avait apporté les plats à table, m'y accueillit. Comme une coupable se défendant d'un crime, elle répéta obstinément :

– Y a plus de lait. Y a plus de pain. Y a plus rien. Les enfants ont tout mangé.

Ma présence semblait lui être intolérable. Dehors m'attendait un temps fabuleux. L'air du matin, au Pont d'Oye, sentait un mélange de pierre et de bois affolant de vitalité. Je n'étais que trop heureux d'affronter tant de plaisir sans mes tortionnaires.

Je quittai l'enceinte du château et marchai jusqu'aux métairies en contrebas. Dans le potager, je vis Grand-Mère agenouillée à même la terre en train de récolter des végétaux inidentifiables. Très gênée que je l'aie surprise, elle m'appela :

– Tu ne diras à personne que tu m'as vue en train de cueillir de la rhubarbe, n'est-ce pas ?

– C'est de la rhubarbe ?

– Oui, c'est moi qui l'ai plantée. J'ai découvert que cette plante poussait très facilement et donnait beaucoup. Et ton grand-père adore la compote de rhubarbe, comme tu l'as entendu hier soir. Il ne se rend pas compte que la cuisinière trouve à peine de quoi préparer à manger avec l'argent qu'il lui donne. C'est la guerre.

– Est-ce que Grand-Père est pauvre ?

– C'est difficile à savoir. Il ne le sait pas lui-même. Ton grand-père ne vit pas complètement dans la réalité. Il est poète. Ce n'est pas ainsi que l'on gagne de l'argent. Il est aussi avocat.

Elle m'expliqua ce que signifiait ce mot.

– Malheureusement, il ne gagne guère d'argent avec ce vrai métier. Il n'a pas le don de choisir les affaires qui rapportent. La dernière personne qu'il a défendue, c'est Léontine.

– Qui est Léontine ?

– C'est la cuisinière. Elle était accusée d'avoir empoisonné son mari. Le procès a eu lieu aux assises d'Arlon, il y a deux ans. Tout le monde en parlait. Les preuves accablaient Léontine. Ton grand-père avait pris fait et cause pour elle. La plaidoirie s'est achevée sur un argument retentissant : « Messieurs les jurés, je crois tellement en l'innocence de cette femme que si vous la graciez, je jure sur l'honneur de l'engager comme cuisinière pour ma famille. » Il l'a emporté. Ce procès admirable ne lui a pas fait gagner un sou. Et nous voici avec une cuisinière qui, la malheureuse, n'a guère d'aliments à préparer.

Elle se releva, la sueur au front d'avoir cueilli en racontant.

– J'ai essayé de planter des pommes de terre. C'est une autre paire de manches. Je ne dois pas avoir la main verte. Quand j'ai épousé ton grand-père, il y a quinze ans, j'étais loin de me douter que j'aurais à affronter cette situation.

– Pourquoi l'avez-vous épousé ? ne pus-je m'empêcher de demander.

– En voilà une question ! Ton grand-père est un poète distingué. Il parle aux gens avec considération, il écoute très bien.

– Oui, j'ai remarqué.

Elle rit.

– Si c'est vrai avec un petit garçon, imagine comment c'est avec une jeune femme.

Grand-Mère devait avoir sacrément besoin de se confier pour me tenir de tels propos. Elle se rassura en pensant que je n'y comprenais rien et continua :

– C'est un homme merveilleux, tu sais. Il vit dans une espèce de conte où les femmes sont des princesses qui se nourrissent de rosée et où

57

les enfants sont les frères et sœurs du Petit Poucet.

Elle souleva deux sacs remplis de tiges de rhubarbe et tituba jusqu'au château, refusant mon aide. Léontine réceptionna ces denrées avec soulagement.

– À présent, je vais me rendre présentable, dit Grand-Mère qui disparut.

Au jardin, je rencontrai Jean, le jeune homme de seize ans, celui qui venait d'être admis à la table des grands. Il me salua d'un signe de tête.

– Ce n'est pas trop dur pour toi, d'être ici ?

– Non, répondis-je fièrement.

– Il ne faut pas en vouloir aux enfants d'être vaches avec toi. Si tu savais comme c'est difficile de grandir au Pont d'Oye.

Il tenait un livre dont je tentai de voir la couverture. Il me la montra.

– *Arbres du soir* de Pierre Nothomb, lus-je à haute voix.

– C'est la poésie de Papa.

J'ouvris le recueil. Il contenait de longues colonnes verbales qui rimaient. Cela correspondait avec ce que j'avais vu dans les livres de lecture qui étaient passés entre mes mains en maternelle ou à la maison. Quelque chose m'empêchait d'entrer en de tels textes, même si je savais lire depuis deux ans.

– Qu'est-ce que tu en penses ? me demanda Jean.

J'ouvris grand les yeux. Depuis quand fallait-il penser quoi que ce fût au sujet de la poésie ? Au hasard, je lui fis part de mon expertise.

– C'est de la poésie.

– C'est bien ou pas ?

La question me stupéfia. Je n'aurais jamais imaginé qu'on puisse approuver ou non la poésie. La poésie, comme le mauvais temps, les jours fériés ou les soldats de plomb, existait. Elle était une réalité avec laquelle il fallait composer. Je ne répondis pas. Jean reprit :

– C'est lamentable.

Je me sentis mal. On s'aventurait dans des propos qui me dépassaient et m'angoissaient.

Jean avait récupéré le recueil et lut à haute voix un texte. Sa grandiloquence me parut celle qui convenait, je ne me rendais pas compte qu'il cherchait à ridiculiser ce qu'il déclamait.

– Alors ? dit-il. Tu as compris pourquoi c'est lamentable ?

Dans l'espoir de lui inspirer de l'indulgence, je répondis :

– J'ai six ans.

– Tu n'es pas malin. J'y ai mis le ton, pourtant. Tu pouvais entendre que c'est grotesque.

– C'est de la poésie, répétai-je.

– Figure-toi que la poésie n'est pas obligée d'être boursouflée. Tu as entendu parler du surréalisme ?

– J'ai six ans, répétai-je.

– On le saura. Je vais te dire une chose : la poésie de Papa, c'est de la merde. Il n'y a plus que lui pour écrire avec cette solennité de pacotille. Il n'y a que les imbéciles de son milieu pour apprécier cette daube. Si tu parles de Pierre Nothomb aux surréalistes, ils éclatent de rire.

Ces propos me mettaient mal à l'aise. À brûle-pourpoint, je lui demandai s'il avait connu mon père.

– Bien sûr. J'avais onze ans quand il est mort.

– Il était comment ?

– Un grand frère. Sérieux, sévère. Il respectait son père. Aucune fantaisie. Très différent de moi.

– Il était gentil avec toi ?

– S'il m'a adressé deux mots dans sa vie, c'est le bout du monde. Papa l'adorait. C'était le bon fils, il obéissait, il ne remettait pas son autorité en question.

Je sentis qu'il n'aimait guère mon père et j'en éprouvai du chagrin. Jean recommença à médire de Grand-Père. Je ne l'interrompis plus, de peur qu'il dise à nouveau du mal de mon père.

– Si Papa se contentait d'écrire de la daube, je m'en ficherais. Si ça lui suffisait de commettre des poïèmes (oui, quand c'est nul, j'appelle ça un poïème), je ne me scandaliserais pas, mais il a déjà tué trois personnes chères à mon cœur.

Je devins blême. À l'évidence, Jean savait qu'il me suppliciait.

– Il a assassiné ma mère et deux de mes sœurs.

J'aurais voulu protester. Aucun son ne sortait de ma bouche.

– On t'a dit qu'elles étaient mortes de tuberculose, n'est-ce pas ? Qu'est-ce que la tuberculose ? Une maladie de pauvres. Si ce type avait été capable de nourrir correctement sa famille, Maman, Marisabelle et Louise auraient guéri. Mais non, monsieur préfère écrire des poèmes que personne n'achète.

– Il a sauvé Léontine, parvins-je à articuler.

– D'accord. Tu crois qu'il a fait ça par souci de défendre une faible femme ? Non. Il a choisi ce cas pour la gloriole. Il savait que les journaux en parleraient. Il savait aussi qu'il n'y gagnerait aucun argent. Tu trouves sans doute que c'est bien, d'être insensible à l'argent ?

Je ne trouvais rien de tel, je tremblais de malaise.

– Or, il n'y est pas insensible du tout. Il a épousé Maman pour son argent. Et quand elle est morte, il a épousé Belle-Maman pour la même raison.

– Grand-Mère aime Grand-Père, protestai-je.

– Belle-Maman est une sainte femme. Elle ne voit pas clair.

Je n'avais jamais encore rencontré la haine. Il m'était donné d'y assister en direct et j'aurais payé cher pour être ailleurs. Je ne savais pas qu'à l'âge de Jean, mépriser son père allait de soi.

– Tu as vu comment il se sert à table ? Non seulement il se sert le premier, ce qui est très grossier vis-à-vis de sa femme, mais en plus il affecte d'ignorer que nous sommes plus de dix à table, dont des enfants et des adolescents, en pleine croissance, et lui qui est vieux et qui n'a besoin de rien, il rafle la moitié de la nourriture.

– Il est dans la lune.

– Il est très doué pour avoir l'air d'y être.

– Tu le détestes, formulai-je, plus pour clarifier le vocabulaire que pour émettre un diagnostic.

– Je te défends de juger mes sentiments pour mon père.

– Pardon, je t'écoutais.

– Écoute encore. Ce n'est pas si simple. Je sais qu'il a des qualités, pourtant, je lui en veux davantage, parce que précisément ces qualités sont une circonstance aggravante. Il est très intelligent, il sait ce qu'il fait. Plus je grandis, plus je comprends mon frère Paul.

– C'est celui qui est né juste après mon père ?

– Oui. Il est devenu communiste.

– Ça veut dire quoi ?

– C'est compliqué. Disons que ça signifie être le contraire de Papa. Il a fait la guerre d'Espagne et maintenant il est résistant à Paris.

– Ça consiste en quoi ?

– Il se cache des Allemands. On n'a plus de nouvelles de lui depuis deux ans. Il est peut-être mort.

– Il y a beaucoup de gens qui meurent jeunes dans notre famille.

Le troupeau des enfants apparut de l'autre côté du lac.

– Je vais avec eux, annonçai-je.

– Sois gentil avec Donate, la pauvre.

– Qu'est-ce qu'elle a ?

– Tu as remarqué qu'elle est anormale, quand même ? Sa place est dans une institution. Papa n'a pas les moyens, elle reste avec nous.

Je rejoignis les enfants, effaré par cette révélation. Non, je n'avais pas vu que Donate était anormale. Ici, tout le monde me paraissait anormal. Comme nous semions la zizanie dans la forêt, j'observai Donate. Elle pouvait avoir huit ans et elle suivait le mouvement, riant sans cesse. Il me fallut longtemps pour déceler qu'elle ne fermait jamais la bouche et que son lexique se résumait à oui oui oui. Au fond, son handicap relevait d'une excellente adaptation au mode de vie des enfants de Pont d'Oye. Elle était toujours contente et ne parlait que pour accepter.

Les autres membres de la troupe ne lui accordaient aucun traitement de faveur. Ils semblaient avoir oublié que la petite sœur avait un

problème. Souvent, elle poussait des exclama-
tions de joie. Cet enthousiasme exagéré me
toucha.

J'appris à calquer mon attitude sur celle de
Donate. Au lieu d'avoir continuellement peur
comme le premier jour, je décidai de me réjouir
constamment, à l'exemple de la petite anormale.
Les autres n'y virent que du feu. Ne jamais se
plaindre, être toujours disposé à partir en forêt,
pour grimper aux arbres ou sauter dans le lac,
jouer le gardien de but d'une partie de football
sauvage, se battre à table pour un croûton de
pain, c'était le quotidien, l'ordinaire de la bande.

Nous menions une existence parallèle à celle
des adultes. À part Grand-Mère, aucun d'entre
eux ne se souciait de nous. Un soir, Donate ne se
présenta pas au dîner. Il n'y eut que moi pour
m'en apercevoir. Comme je l'aimais beaucoup,
j'enfonçai un morceau de pain dans ma poche
pour elle : suprême preuve d'amour de la part
d'un être aussi affamé que moi. Plus tard, je la

retrouvai. Elle était couchée sur son lit et chantait *La Brabançonne* dont elle avait remplacé les paroles par oui oui oui. Jamais je n'ai entendu de version plus positive de l'hymne national belge.

Enivrée par son propre chant, Donate n'avait pas prêté attention à la cloche annonçant le repas. Je lui tendis le croûton de pain, elle se jeta dessus et le dévora. Ensuite, elle m'étreignit et me couvrit de salive pour manifester sa gratitude. Dire que cette fillette était ma tante !

Chaque soir, après un dîner plus que maigre, nous recevions tous une portion de compote de rhubarbe grâce aux efforts de Grand-Mère. Certains jours où le pain manquait, la rhubarbe allait jusqu'à constituer mon unique nourriture. Il n'existe pas, je crois, d'exemples historiques de groupements humains dont la rhubarbe fut la seule alimentation, en dehors des enfants du Pont d'Oye, les étés de guerre. Depuis cette époque, je conserve une ferveur particulière pour ce végétal fibreux et sympathique.

La fin des vacances approchait. J'étais fier d'avoir survécu. Charles dut s'en apercevoir qui me dit :

— Tu n'as passé qu'un été au Pont d'Oye, tu n'as encore rien vu.

— Pourquoi ?

— Ce qui est difficile ici, c'est l'hiver. Et il dure longtemps.

Piqué par la curiosité, je répondis :

— Je viendrai pour les vacances de Noël.

— Tu es bête ! Reste au chaud dans ton appartement de Bruxelles !

— J'adore le Pont d'Oye. Je veux le voir sous la neige.

J'étais sincère. Au-delà de ses habitants, j'avais conçu un amour véritable pour ce château et cette forêt. Par ailleurs, j'adorais appartenir à cette bande d'enfants sauvages.

Grand-Père m'apostropha lors de l'ultime dîner :

— Mon Patrick, il paraît que tu nous quittes ?

— Oui. Bon-Papa vient me chercher demain.

– Je t'ai observé, tu es un esprit distingué. Tu es très apprécié ici. Nous espérons ton retour.

Les moqueries des enfants eurent beau fuser, je rougis de fierté. Pierre Nothomb avait le talent du contact singulier avec les gens : il s'adressait à chacun comme s'il était la personne la plus importante de sa vie. D'où la vénération qu'il suscitait.

Bon-Papa fut ponctuel. Il n'émit aucun commentaire sur mon costume marin sale et troué, ni sur mon aspect misérable. Ursmar nous conduisit à la gare.

Dans le train pour Bruxelles, j'essayai d'expliquer à Bon-Papa pourquoi j'avais tant aimé mes vacances. Le général m'écoutait à peine. Il semblait satisfait et accueillait mon babil avec l'indifférence du gradé.

À l'appartement m'attendait Bonne-Maman, qui poussa un cri de terreur à ma vue :

– Mon chéri, que t'ont-ils fait ?

Elle s'approcha et m'étreignit.

– Tu es maigre comme un clou ! Et vêtu comme un mendiant !

J'avoue que j'étais enchanté par cette réaction que j'encourageai :

– Nous ne recevions pas beaucoup à manger, dis-je d'un air héroïque.

– C'est affreux ! Tu dois être mort de faim.

– Ma foi…

– Le dîner sera servi dans une heure. D'abord, je vais te récurer.

Elle me déshabilla et découvrit mon corps squelettique. Elle en pleura.

– On n'a pas le droit de laisser un enfant sans nourriture !

J'entrai dans la baignoire remplie à ras bord, dont l'eau devint aussitôt brunâtre.

– T'es-tu lavé là-bas ?

– Parfois…

En vérité, il m'était arrivé de nager dans le lac, point final.

– Où est Maman ?

– Elle dînera avec nous ce soir. Pauvre Claude, quand elle te verra dans cet état !

Bonne-Maman me savonna d'importance, me frictionna et m'habilla de frais.

– Qu'ont-ils fait à tes vêtements, ces sauvages ? demanda-t-elle.

– C'est en grimpant aux arbres, inventai-je pour innocenter le clan.

Contrairement au pronostic de sa mère, Maman ne manifesta pas de désapprobation en me retrouvant.

– Tu as vu comme il est maigre ? dit Bonne-Maman.

– C'est bien. Tu ressembles enfin à ton père.

J'avais si faim que j'étais incapable de regarder autre chose que les plats. Bonne-Maman me servit une assiette monumentale sur laquelle je me jetai.

– Voyons, Paddy, et tes manières ? intervint Maman.

– Nous n'enverrons plus cet enfant chez ces barbares ! dit Bonne-Maman.

– Je veux retourner au Pont d'Oye ! J'ai adoré mes vacances !

– Et s'il lui plaît d'être battu ? dit Bonne-Maman.

– Tu y retourneras, dit Bon-Papa.

À l'évidence, le général approuvait les mauvais traitements que j'avais subis chez les Nothomb. « Le voici enfin aguerri pour la rentrée des classes », pensait-il.

Il n'avait pas tort. Le jour de la rentrée à l'école primaire, je fus l'un des rares à ne pas crever de peur. Il s'avéra que nous étions cinq garçons pour quinze filles. Celles-ci ne représentaient guère de danger : il suffisait de les complimenter sur leurs cheveux et l'affaire était dans le sac. Avec les garçons, je jouais les durs, regardant la ligne d'horizon, bouche close. N'étais-je pas le fils d'un militaire explosé et le petit-fils d'un général ?

– J'ai la tuberculose, me dit Jacques, sans doute pour se rendre intéressant.

– Je connais trois personnes qui en sont mortes, répondis-je, consolateur.

– Tu m'aideras à faire mes devoirs ?

Comme je savais lire et écrire depuis long-temps, je devins le soutien scolaire de mes camarades. Dans la cour de récréation, je préférais rester seul à réceptionner un ballon imaginaire en me jetant par terre.

Interrogé sur ce comportement, je répondis que je voulais intégrer l'équipe de football comme gardien de but. On me dit que le football ne concernait que les élèves de plus de dix ans. Je soupirai d'ennui à l'idée d'attendre si longtemps.

Je pris l'habitude de passer les pauses avec Jacques. Il m'invita chez lui après l'école. Sa mère me parlait comme à un intellectuel parce que j'étais le premier de la classe. Elle estima que les progrès scolaires de son fils étaient mon œuvre et m'offrit du chocolat.

La nuit, je rejoignais mon lit tiède et confortable. Je repensais à ma paillasse du dortoir de Pont d'Oye avec nostalgie ; comme c'était bien de dormir avec la bande et d'écouter la chouette ! Sur le portrait en face de moi, Maman me regardait avec une douceur que je ne lui avais jamais vue.

– Aimes-tu le Pont d'Oye, Maman ? interrogeai-je.

– C'est le lieu où j'ai connu mes plus grands bonheurs, répondit-elle.

– Moi aussi.

Elle sourit. Ce ne devait pas être des bonheurs comparables.

– Ne veux-tu pas y retourner ?

– Pour rien au monde. J'en aurais le cœur brisé.

Le premier trimestre me parut interminable.
À Noël, Bon-Papa me convoqua :

– Tu as six ans et demi. Tu es un homme,
n'est-ce pas ?

– Oui.

– Tu iras seul au Pont d'Oye. J'ai acheté ton
billet, Ursmar t'attendra à la gare d'Habay-la-
Neuve.

Bonne-Maman protesta, insista pour m'accompagner. Le général tint bon.

– Cet enfant doit s'endurcir, disait-il comme
un leitmotiv.

– Il va passer deux semaines chez ces sauvages ! N'est-ce pas suffisant ?

– Bonne-Maman, je suis capable de porter
ma valise, intervins-je.

C'était sans compter avec la quantité effroyable de chocolats et de gâteaux dont elle lesta mon bagage. Je me réjouis d'avoir de quoi nourrir la tribu et traînai la valise sans broncher.

Les quatre heures de train me parurent féeriques. À mesure que nous nous enfoncions dans les Ardennes, l'épaisseur de la neige augmentait. La forêt supportait un tel poids de blancheur que certains arbres baissaient les bras, comme moi avec ma valise.

Ursmar souleva celle-ci sans effort. La charrette à cheval parcourut les derniers kilomètres dans un silence absolu. Le château m'apparut enfin, encaissé sous la neige. Tant de beauté dépassait mes prévisions.

Grand-Mère courut à ma rencontre, emballée dans un manteau qui ne l'empêchait pas de grelotter. Elle me serra dans ses bras.

— Mon Patrick, comme tu as de bonnes couleurs ! Viens te réchauffer dans la *shtouf*.

— Dans la quoi ?

– La shtouf. C'est du patois local. Tu vas comprendre.

La shtouf désignait un mode de vie qui permettait de survivre à l'hiver ardennais. Il s'agissait d'entasser tous les êtres vivants d'une maison, animaux inclus, dans la seule pièce qui pouvait les contenir. Au Pont d'Oye, la pièce en question était le salon médian. Ce n'était pas à proprement parler une shtouf : les chevaux n'y étaient pas admis. Au moins, le froid avaitil aboli les distinctions sociales : Léontine et Ursmar demeuraient avec les Nothomb.

Le patriarche occupait la meilleure place, assis près du feu.

– Quelle joie de te revoir, Patrick ! Viens m'embrasser.

Je me faufilai parmi les corps agglutinés pour arriver jusqu'à Grand-Père. Il saisit mes mains dans les siennes et me regarda, les yeux brillants.

– Comme tu nous as manqué !

Je ne connaissais pas encore l'usage du nous de majesté et je crus réellement qu'il parlait au nom du clan. Bouleversé par un tel accueil, je distribuai des baisers autour de moi, sans remarquer les airs narquois des enfants.

Ursmar m'accompagna à l'étage avec mon bagage. De retour dans la shtouf, j'eus du mal à m'insérer entre deux Nothomb pour m'approcher de l'âtre. La tribu, engloutie sous les plaids, semblait n'avoir d'autre occupation que de sécréter de la chaleur.

À table, le soir, Léontine apporta une soupière d'un potage clair dont l'unique vertu consistait en sa température proche de l'ébullition. Les adultes en raflèrent les trois quarts, les enfants durent se partager quelques louches du brouet de moins en moins fumant, qui avait le goût d'une eau grasse additionnée de rondelles d'oignon. Encore fallait-il l'avaler très vite : il refroidissait à une rapidité déconcertante.

– C'est mieux d'avoir peu de soupe, me dit Charles. Comme ça, on ne doit pas se lever la nuit pour pisser.

Le pain fut dévoré jusqu'au dernier croûton et puis le dîner fut décrété fini.

– Il n'y a pas de compote de rhubarbe ? m'étonnai-je à voix haute.

Mon propos provoqua des rires.

– Qu'est-ce que tu crois ? dit Simon. Ce n'est plus l'été.

Bigre, on allait manger encore moins que pendant les grandes vacances.

Après une heure de veillée dans la shtouf destinée à réchauffer nos organismes, on ordonna aux enfants de rejoindre leurs appartements. Je ne compris pas pourquoi mes cinq comparses y mirent tant d'enthousiasme avant de les voir se jeter sur ma valise et la dépecer. Ils se ruèrent sur les paquets de gâteaux et de chocolat, les éventrèrent et les dévorèrent avec des expressions de fauves affamés.

– Et dire qu'à Bruxelles tu as des spéculoos quand tu veux ! dit Colette en me regardant comme si j'étais Sardanapale.

– Est-ce qu'on a oublié d'allumer le chauffage ? demandai-je.

– Tu as vu quelque chose qui ressemble à un calorifère ? Ici, on dort tout habillé, répondit Lucie.

– Grand-Père aussi ?

– Rien à voir, dit Simon. Ursmar récolte les braises dans une bassinoire et il chauffe le lit de Papa avant qu'il se glisse sous la couette. Bon, assez causé. On dort.

Les enfants obéirent comme un seul homme. Sans broncher, j'entrai dans ma paillasse : il s'agissait d'insérer mon corps entre un matelas défoncé et une couverture de laine pas plus épaisse qu'un drap. J'eus beau m'enrouler dedans, je mourais de froid. La température du grenier devait être positive, mais de justesse.

Je découvris la pire sensation de l'univers : des mâchoires glacées se refermèrent sur moi. J'aurais voulu frissonner, ce qui m'aurait sauvé. Pour des raisons inconnues, ma peau n'était pas capable de cette saine réaction. Corps et âme, j'étais figé dans le supplice. Le gel s'emparait de ma personne par les pieds et remontait peu à peu. Mon nez avait déjà la consistance d'un glaçon. Comment les enfants parvenaient-ils à survivre dans ces combles ?

J'entendis Simon qui ronflait déjà. Était-il donc possible de dormir en de telles conditions ? Je n'y parviendrais jamais. J'avais envie de rejoindre les adultes dans la shtouf. Hélas, si je consentais à mon désir, j'aurais droit au pire des châtiments : le déshonneur.

Il allait donc falloir mourir. J'avais six ans et demi : la vie me paraissait longue. Il m'était arrivé beaucoup de choses. Un peintre avait réalisé mon portrait dans les bras de ma mère. J'avais appris le métier de gardien de but. À l'école, j'avais gagné l'amitié de Jacques, qui se souviendrait de moi. Je pouvais accepter la mort avec sérénité. Pourtant, une révolte m'animait : une force venue de loin criait dans mes os. Je décidai de l'ignorer. On allait voir ce qu'on allait voir. Je trépasserais avec bravoure, sans gémir.

Il se produisit un miracle. Quelqu'un me secoua l'épaule. C'était Donate :

– Tu dois mettre ta tête aussi sous la couverture.

L'obscurité lui donnait l'aspect d'une pythie. Elle avait l'air de voir dans le noir. Comme je la regardais avec terreur, elle saisit ma couverture, la remonta jusqu'à mon visage et me borda le crâne.

– Dors, maintenant, chuchota-t-elle.

Et je l'entendis retourner dans son lit.

Il fallait me rendre à l'évidence : elle avait dit vrai. Mon souffle ne tarda pas à réchauffer l'espace délimité par la couverture et la température de mon corps devint presque acceptable. Soudain, je me mis à claquer des dents, excellent mécanisme de défense dont je n'avais pas été capable auparavant.

Ce qui m'avait sauvé, c'était non seulement le bon conseil de Donate, mais aussi de découvrir que quelqu'un se souciait de mon sort. Je n'étais pas seul au monde. Que ce fût la petite anormale qui se soit préoccupée de moi me touchait particulièrement. Était-ce par gratitude pour le morceau de pain que je lui avais apporté l'été précédent ? Je soupçonnais que non. Elle se serait conduite de même avec n'importe qui.

Je m'endormis.

Quelques heures plus tard, je m'éveillais avec un besoin. Je me rappelai les paroles de Charles. Hélas, il n'y avait pas de solution. Faire pipi au lit serait inexpiable. Alors je réunis plus de courage que celui dont je disposais et me levai.

La peur était si forte qu'elle éclipsait le froid. Sortir des combles fut une équipée périlleuse, mais le noir qui m'attendait dans l'escalier en colimaçon n'avait pas de nom. Je descendis les marches jusqu'au premier palier, espérant qu'un adulte aurait oublié une lampe. Des ténèbres encore plus épaisses m'y attendaient.

Il me fallut repérer le départ du second escalier. Je marchai à quatre pattes afin de ne pas tomber dans un gouffre de marches. C'est un miracle si le pipi ne m'échappa pas en chemin. En bas, j'étais si désorienté qu'il me fallut une dizaine de minutes pour trouver la porte des toilettes. Quand je m'y installai enfin, je me vidai tout entier, tant la terreur avait multiplié mon besoin. J'eus la sagesse de ne pas allumer la lumière, devinant qu'il valait mieux conserver mes yeux habitués à l'obscurité pour le retour.

Le bruit de la chasse d'eau me persuada que la bâtisse allait s'effondrer. J'escaladai prestement le premier escalier en ayant l'impression qu'une présence me frôlait. S'agissait-il d'un rat ? Si grande fût ma répulsion, j'espérais que oui. Comme il était difficile de s'empêcher de gémir de panique !

Pendant l'ascension du second escalier, il s'avéra que le rat me prenait pour un jambon vivant. Afin qu'il ne plante plus ses dents dans ma cuisse, je le chassai d'un coup de pied. Ébloui par ma propre bravoure, j'arrivai au dortoir qui me sembla un havre de tranquillité. Je me recouchai, attentif à immerger ma tête sous la couverture, et je me rendormis en me jurant, à l'avenir, de passer aux toilettes avant de monter pour la nuit.

Au matin, il ne neigeait plus. Marcher dehors était une épreuve à laquelle on cessait très vite de prêter attention tant le spectacle du château et de la forêt ensevelis sous la blancheur émerveillait. Je pensais que nous allions jouer, je me trompais. Simon ordonna d'aller déblayer le lac avant que la neige gèle sur la glace, rendant le patinage impraticable.

Chaque enfant prit un genre de balai-racloir et enleva de la surface glacée des mètres de neige fraîche. Ensuite, nous allâmes dans la remise nous équiper de vieux patins. Je me gardai de dire que je n'avais jamais patiné de ma vie, ce qui ne tarda pas à se voir. Décidé à m'adapter à tout prix, j'élaborai une technique qui me permit de ne pas tomber sans arrêt. Ce procédé vieux comme le monde s'appelle la vitesse. Si l'on courait sur les patins à grandes enjambées, on donnait l'illusion d'une maîtrise et on ne passait pas son temps à se vautrer.

– Tu te débrouilles, me dit Charles.

Fier comme Artaban, je m'aperçus que j'avais chaud. Sensation délicieuse. Je ne mesurai pas le péril qui en découlait et je m'assis au bord du lac pour contempler la splendeur du paysage. En moins de temps qu'il ne faut pour l'écrire, ma sueur avait commencé à se refroidir. Je retournai patiner avec les autres, en vain. « Le gel l'emporte toujours », m'indiqua Grand-Mère au château en pendant mes vêtements mouillés.

– Alors, on ne peut jamais s'arrêter de patiner ? demandai-je

– Si. Mais tu dois t'habiller de manière à ne jamais transpirer. L'idée, c'est d'avoir un peu froid dès que tu es dehors. Rappelle-toi bien ça.

Je me le tins pour dit. Ce qui n'alla pas sans quelques erreurs qui me valurent un rhume constant, mais tant que cela ne tombait pas sur la poitrine, on s'estimait en bonne santé.

De ce que j'avais connu en six années et demie d'existence, ces vacances de Noël furent ce qui ressemblait le plus au bonheur. Les jours passés à patiner sur le lac blotti dans la forêt ou à fouler la neige des chemins m'éblouissaient sans relâche. Appartenir à une bande d'enfants ne cessait de m'exalter.

Simon s'ingéniait à inventer de nouvelles tortures pour moi. Quand une tempête nous condamnait à ne pas sortir, il m'enfermait dans les toilettes avec un recueil de poésies de son père, à charge pour moi d'en apprendre plusieurs pages par cœur. Le Trianon était le lieu le plus froid du château, je tremblais si fort que ma mémoire absorbait les vers à la vitesse de l'éclair.

– Voilà ! criais-je.

On me laissait quitter ma prison, on me confisquait le livre et je devais réciter aux cinq enfants, tandis que Simon contrôlait le texte. Il suffisait d'une erreur infime – « les » à la place de « des », « un » à la place de « le » – pour doubler le nombre de poèmes à connaître par cœur et m'enfermer derechef.

Un jour que Pierre Nothomb se rendait là où même les rois vont à pied, il me surprit en train de dire, avec le ton, plusieurs de ses poésies à ses cinq plus jeunes enfants.

Loin de soupçonner le supplice dissimulé par cette scène, Grand-Père s'en émut et m'étreignit :

– Mon Patrick, je ne savais pas que tu aimais tellement mon œuvre ! Comme tu la récites bien !

C'était la première fois qu'un homme me serrait dans ses bras : je mesurai à cet instant combien j'aurais voulu avoir un père.

À la veillée, tandis que le clan se chauffait dans la shtouf, Grand-Père raconta à tous sa version du moment en question :

– Patrick est un petit garçon qui a la pudeur de son amour. Je l'ai surpris en train de psalmo-

dier avec ferveur ceux de mes poèmes qu'il préfère. Il avait choisi pour public les plus jeunes
de mes enfants, afin de leur expliquer le talent
de leur père. Et ces petits sauvages l'écoutaient
bouche bée. Quand on assiste à de tels miracles,
peut-on encore douter de la grâce ?

Grand-Mère m'embrassa, bouleversée par ce
récit. Avant mon départ, elle m'offrit un livre :

– Puisque tu aimes la poésie, mon chéri, je te
donne ce recueil qui ne m'a jamais quittée.

C'était un pauvre exemplaire scolaire sur lequel
il était écrit : « Arthur Rimbaud – Poèmes ».

– Arthur Rimbaud est le plus grand poète
de tous les temps, dit-elle. Il est né dans les
Ardennes françaises, tout près d'ici.

Dans le train du retour, j'essayai de lire ce cadeau. L'enfance a cette vertu de ne pas essayer de répondre à la sotte question : « Est-ce que j'aime ? » Il s'agissait pour moi de découvrir.

Je me frayai un chemin parmi ces poèmes escarpés. J'avais l'impression qu'on me proposait des ascensions trop difficiles. Il n'empêche que je me promis d'escalader ces hauteurs quand je serais alpiniste.

Une fois à Bruxelles, selon un scénario désormais fixé, je fus accueilli par un apitoiement bruyant et par un bain brûlant. Tandis que Bonne-Maman constatait ma maigreur, je m'adonnais à l'ivresse de l'eau fumante. Quand on a souffert du froid pendant deux semaines, avoir chaud constitue une occupation à part entière.

– Et tu n'as même pas reçu de cadeau de Noël, j'imagine ? s'indigna Bonne-Maman.

– Si, j'ai reçu un livre.

Je lui montrai le recueil fatigué offert par Grand-Mère.

– Eh bien dis donc, c'est Byzance !

Je ne saisis pas l'ironie. Bonne-Maman ne savait sûrement pas qui était Rimbaud.

– Tu n'es pas obligé d'aller au Pont d'Oye, mon chéri, dit-elle avec bonté.

– S'il te plaît, Bonne-Maman, je veux y retourner cet été ! J'aime tellement être là-bas.

– Comme tu voudras, répondit-elle en haussant les épaules.

À dire vrai, j'aurais voulu y aller aussi pendant les vacances de Pâques, mais je sentais qu'il valait mieux ne pas montrer à quel point les Nothomb m'enthousiasmaient. Je surprenais parfois Bon-Papa et Bonne-Maman en palabres secrètes qui cessaient dès mon arrivée. Le nom de Pierre était parvenu jusqu'à mes oreilles. Je ne désirais pas en savoir davantage.

C'était la guerre. Je voudrais pouvoir affirmer que cela m'intéressait. Il est probable que je n'y ai pas compris grand-chose. À l'école, les professeurs, prudents, évitaient le sujet. Je me rappelle avoir dû descendre à la cave certaines nuits et avoir vu Bonne-Maman terrifiée.

Mon seul constat lié à ce conflit est que l'anglomanie de Maman se renforça. Dès qu'elle pouvait louer un meublé à Ostende, elle m'y emmenait, quitte à me faire manquer l'école. Par beau temps, au bout de l'estacade, elle affirmait qu'on voyait les falaises de Douvres. J'entrais dans sa fiction et je détaillais ce paysage imaginaire.

Ensuite, au restaurant, Claude touchait à peine à sa sole et se désolait de me voir engloutir mes croquettes-crevettes.

– Paddy, si tu veux devenir un homme du monde, il ne faut pas manger ainsi.

Je n'osais pas lui répondre que l'ambition de

devenir un homme du monde m'était étrangère. Je voulais être gardien de but.

Le plus grand moment de mon année, c'était le train Bruxelles-Habay du premier jour des vacances d'été. J'emportais toujours le cadeau de Grand-Mère qui, avec les années, devint mon livre préféré. À force de le lire, je repérai, au sein d'un long poème intitulé *Le Bateau ivre*, une succession de vers qui me tordit l'âme :

> *Si je désire une eau d'Europe, c'est la flache*
> *Noire et froide où vers le crépuscule embaumé*
> *Un enfant accroupi plein de tristesses, lâche*
> *Un bateau frêle comme un papillon de mai.*

Cette flache, je la connaissais. C'était un vague ruisseau caché dans la forêt. L'époque n'était pas à la sécheresse, il y avait des rivières un peu partout dans les Ardennes, mais celle-là, lente et triste, était la mienne, où je me rendais seul. Je décidai que je l'appellerais la flache.

La poésie me révéla son pouvoir : d'identifier ce cours d'eau à la flache rimbaldienne me le rendit magique. Je décrétai qu'en y immergeant la tête, je rencontrerais mon père. En la gardant sous l'eau assez longtemps, il me sembla, en effet, apercevoir le visage d'un homme.

À la fin de la guerre, j'avais neuf ans. Il n'y eut pas de changement énorme, sauf au cours d'histoire où, désormais, le professeur osa aborder le sujet sur la pointe des pieds.

Au Pont d'Oye, on ne mangea pas davantage à partir de 1945. Survivre à leur enfance demeurait une expérience darwinienne pour les enfants de Pierre Nothomb.

L'été 1951, je constatai que Donate n'était plus là.

– Elle est dans une institution, me dit Charles. Elle a dix-sept ans, ce n'était plus possible de la garder ici.

J'en fus désolé : j'avais de la tendresse pour elle.

– Nous avons quinze ans, ajouta Charles. Nous ne sommes plus des enfants.

Ce constat me glaça. Charles et moi étions désormais admis parmi les adultes, moins par la grâce d'une maturité particulière que par l'absence d'autres enfants.

À table, on aborda la question royale, comme partout en Belgique à cette époque. Curieusement, il n'y eut pas de dispute.

Simon, vingt ans, beau comme un acteur, avait invité sa conquête du moment, une ravissante qui osait à peine parler, apeurée par les regards du clan.

– Il va l'épouser ? demandai-je à Charles.

– Tu rigoles ? Chaque semaine, il en change.

Après avoir dévoré la maigre pitance, Charles me demanda quelle était mon ambition. Je répondis la même chose qu'à l'âge de six ans :

– Gardien de but.

– Sérieusement ?

– Oui.

– Regarde-toi, Patrick. Tu n'as aucun muscle, tu es un intellectuel. Trouve une autre carrière.

Je réfléchis et dis :

– Chef de gare.

Charles éclata de rire, l'air de me trouver irrécupérable. Sa réaction me déçut. Gardien de but ou chef de gare étaient les avenirs qui me tentaient. En dehors de cela, rien ne m'attirait.

La fin de l'enfance ne me souriait pas. Mon seul vrai désir consistait à avoir un père. J'avais deux grands-pères auxquels j'avais longtemps prêté ce rôle. Hélas, avec le temps, je commençais à comprendre qu'ils ne convenaient pas. Ils avaient plus de soixante-dix ans : cela posait un problème.

Charles avait mon âge et pourtant mon grand-père était son père. J'osai l'interroger à ce sujet.

– Tu as raison, répondit-il, c'est bizarre. Un père, normalement, t'explique dans quel monde tu vis. Papa n'en sait rien, il est trop vieux. Je le respecte mais il n'est pas en mesure de jouer son rôle.

– Si tu savais à quel point ça me manque, d'avoir un père !

– Tu te fais des idées. J'ai un père et ça ne m'éclaire pas.

– Dans Shakespeare, les pères sont tellement importants et magnifiques. De tels pères existent, j'en suis sûr.

– Tu lis Shakespeare !

Je rougis de honte. Parmi les sauvages de Pont d'Oye, Grand-Père et Grand-Mère exceptés, il ne fallait pas signaler qu'on avait de la culture.

Charles s'apprêtait à vendre la mèche à la

bande, histoire de souligner à quel point j'étais cloche, quand il se produisit un événement : Lucie saigna du nez et, quelques secondes plus tard, je m'évanouis.

Lorsque je m'éveillai, les Nothomb étaient à mon chevet.

– Que s'est-il passé ? demandai-je.

– C'est à nous de te poser cette question. Pourquoi es-tu tombé dans les pommes ?

– J'ai vu le sang couler du nez de Lucie et tout est devenu noir.

– C'était la première fois que tu voyais du sang ? interrogea Grand-Mère.

– Je crois, oui.

– Eh bien voilà. Tu t'évanouis à la vue du sang.

– Ça existe ça ? demanda Simon.

– Oui, répondit Grand-Mère. J'avais une vieille tante qui avait le même problème.

Cette réponse aggrava mon cas. Je fus la risée du clan.

– Femmelette ! déclara Simon.

– Je proteste ! intervint Colette. Les femmes

ne s'évanouissent pas à la vue du sang, elles le connaissent mieux que vous.

– Et la vieille tante de Maman ? rétorqua Simon.

– Elle était anormale, précisa Colette.

Mon compte était bon. Ce trait ne me quitta pas. Il suffit que je voie du sang humain ou animal et je disparais. Je ne peux même pas parler de phobie puisque je ne reste pas conscient assez longtemps pour analyser le phénomène. En vertu du principe de complémentarité, cette prise de conscience intensifia ma pathologie. Désormais, la vue d'un steak saignant ou d'un tartare suffit. Ce devint un handicap non négligeable.

Si j'avais appartenu à une autre génération, on m'eût sans doute emmené consulter. Nul besoin pourtant d'être grand clerc pour sentir que la mort de mon père y avait présidé. Quand la cause du décès est l'explosion d'une mine, il doit se produire un feu d'artifice de sang.

Ce devint mon talon d'Achille. Les mauvais plaisants du Pont d'Oye en abusèrent. Simon ne perdit pas une occasion de s'entailler la peau, rien que pour le plaisir d'assister à mon évanouissement immédiat.

Je fus interdit de cuisine. On ne pouvait exclure la possibilité d'y croiser un rôti de bœuf encore cru.

Dans sa malignité, Simon espéra que le mot engendre les effets de la chose. Par bonheur, il n'y eut pas de telle contamination. Je déteste le mot sang, mais il demeure inoffensif. Simon eut beau transformer son discours en un logorallye visant à placer ce terme dans chaque phrase, il n'y eut pas de contagion.

Il n'empêche que je revins de vacances marqué. Grand-Père avait-il téléphoné à Bon-Papa ? Je l'ignore.

Moi qui rêvais de plaire à ma mère, j'exprimai devant elle le souhait d'intégrer l'armée. Maman me regarda avec considération. Son père coupa cet effet en disant :

— Patrick, c'est impossible.

— Et pourquoi donc ? s'offusqua ma mère.

— Dis-le à ta mère, mon petit.

Comment avais-je pu me mettre dans un pétrin pareil ? Il eût suffi de me taire. Je maudis mon besoin d'éblouir ma mère. Celle-ci me regardait avec une expression qui signifiait : « Achève-moi, mon fils, j'ai déjà tant souffert, au point où on en est... » La mort dans l'âme, je pris la parole :

– Je m'évanouis à la vue du sang.

– Qu'est-ce que c'est que cette histoire ? dit Claude.

Bon-Papa intervint à nouveau :

– C'est la vérité, ma fille. Et comme Patrick n'a sûrement pas envie de travailler à l'armée comme gratte-papier, je suggère qu'il choisisse une autre carrière.

Humilié, je lançai une hypothèse de provocation pure :

– Je pourrais devenir poète.

– Ah ça, il en suffit d'un dans la famille ! Tu as envie de crever de faim comme au Pont d'Oye ? s'énerva Bon-Papa.

Je baissai les yeux, me doutant qu'évoquer

mon désir d'être gardien de but ou chef de gare me vaudrait l'exil immédiat.

– Hélas, Paddy, que va-t-on faire de toi ?

– Voyons, ma fille, dit Bonne-Maman, ton fils a de la ressource. Il est courtois, brillant, pacifique, éloquent...

L'énumération de ces vertus me désolait : c'était le contraire de ce que je voulais être. Par ailleurs, où diable Bonne-Maman avait-elle capté que j'étais éloquent ? Je parlais à peine. C'était peut-être cela, d'ailleurs, qu'elle nommait éloquence.

– Quelle carrière entreprend-on avec de telles qualités ? gémit celle qui entendait dans ce portrait combien j'étais différent des Nothomb.

– Précisément, la carrière ! répondit Bonne-Maman.

– Qu'est-ce que c'est ? interrogeai-je.

– La diplomatie.

– C'est quoi ?

– Voyons, Patrick, tu devrais le savoir. Les diplomates sont des gens qui représentent leur pays à l'étranger. Ils y aident leurs ressortissants et, parfois, ils empêchent les guerres d'éclater.

– Quel ennui ! soupirai-je.

Les trois adultes éclatèrent de rire. J'étais au désespoir. Ainsi, mon talon d'Achille me condamnait à exercer un métier destiné aux gens courtois et pacifiques. Jamais ! Je décidai de devenir auteur dramatique.

La saison précédente, Bonne-Maman m'avait emmené au théâtre du Parc voir *Cyrano de Bergerac*. J'avais adoré. Je me lançai dans l'écriture d'une pièce de théâtre qui racontait à peu près la même histoire, sauf que le héros avait pour handicap non pas son nez démesuré, mais une propension à s'évanouir à la vue du sang. Très vite, je remarquai que cela ne fonctionnait pas. Lors des duels, mon personnage tombait dans les pommes au premier sang. Il était juste ridicule.

Méthodique, je dressai une liste des sujets qu'il me fallait éviter à cause de mon point faible – vu que je jouerais forcément mes rôles moi-même, comme Molière, ou du moins que j'assisterais forcément à mes pièces – et que je ne voulais pas prendre le risque de vérifier si le sang de théâtre provoquerait lui aussi mon évanouissement. Je devais donc écarter les combats, les vampires, les jeunes filles vierges, la quête du Graal – tout ce qui passionnait les gens, en somme.

Il ne me restait que les thèmes psychologiques ou le symbolisme. J'eus envie de me pendre. Avoir quinze ans s'avérait affreux. Mon horizon se rétrécissait.

À la rentrée, Jacques me raconta ce qu'il appelait son « flirt » avec une jeune Anglaise.

– De sacrées vacances, mon vieux ! Les filles, tu devrais essayer.

Il avait sûrement raison. Pourquoi cela ne m'inspirait-il pas ? Étais-je encore trop enfant ? Je pensai à Simon et déclarai :

– C'est que je ne suis pas beau.

– Et alors ? Est-ce que je suis beau, moi ? dit Jacques. D'ailleurs, tu n'es pas laid. C'est bien suffisant.

Rassuré par cette opinion, je me demandai où rencontrer des filles. Depuis le secondaire, je fréquentais un établissement non mixte.

Jacques dut lire ma question dans mes yeux : il me proposa de l'accompagner à la sortie d'une école de filles des environs. À seize heures quinze, nous nous postâmes sur le trottoir qui faisait face à la porte du collège Sainte-Ursule.

Au fond, je n'avais jamais vu de jeunes filles. Les demoiselles de la tribu Nothomb, pour avoir survécu à la rudesse familiale, ressemblaient plus à des pasionarias qu'à ce que j'imaginais être une jeune fille : une créature évanescente, rêveuse, ne touchant pas terre.

Quand les adolescentes jaillirent de Sainte-Ursule, je demeurai bouche bée. La moitié d'entre elles était constituée de jouvencelles si jolies que je ne savais laquelle regarder. Je me fiai à Jacques, homme d'expérience, pour déterminer une technique d'approche. Il resta immobile comme moi, éberlué par les vagues de grâce et de vitalité qui refluaient du collège. Une demi-heure plus tard, il n'y avait plus personne.

– Eh bien ? demandai-je.

– Pas fameux. Rien que du menu fretin, dit Jacques.

– Tu plaisantes ! Elles étaient plus ravissantes les unes que les autres.

– Patrick, ton enthousiasme te dessert. Les femmes aiment les hommes blasés.

– Pourtant, aucune ne t'a regardé.

– Elles feignaient l'indifférence. Là, j'ai préparé le terrain.

Puisque le terrain était préparé, nous revînmes le lendemain.

À seize heures quinze, mon cœur battait la chamade. Le miracle se reproduisit : les portes s'ouvrirent, libérant le passage à des merveilles de jeunes filles. Même les disgraciées ruisselaient de charme. Pour dire la vérité, n'importe laquelle eût fait de moi le plus heureux des garçons.

C'est alors qu'eut lieu le drame : Jacques fut pris d'une de ces quintes de toux dont il avait le secret. Le jeune tuberculeux toussa si fort qu'il finit par vomir un flot de sang sur le trottoir. Je m'évanouis.

Lorsque je m'éveillai, une jeune fille d'une beauté céleste avait la main posée sur mon front.

– Où est Jacques ? bégayai-je.

– Je ne sais pas de qui vous parlez, monsieur.

Vous vous êtes évanoui dans votre sang. Depuis combien de temps avez-vous la tuberculose ?

– Je ne sais pas, répondis-je, très impressionné qu'elle m'ait appelé monsieur.

– Voulez-vous que je fasse venir une ambulance ?

– Non, je vais rentrer chez moi.

Elle m'aida à me lever. Regardant la flaque de sang séché dans laquelle j'étais tombé, j'appris que seul le sang frais, coulant et vivant, provoquait mon évanouissement. Ainsi, les taches de sang sur mon manteau me laissèrent de marbre.

Édith m'accompagna jusqu'à la place de Jamblinne de Meux. Elle avait quatorze ans et voulait devenir infirmière. Ses parents lui avaient donné ce prénom en référence à Edith Cavell. L'éponymie avait fonctionné : la jeune fille voyait en moi un grand malade à sauver, son instinct de saint-bernard me para à ses yeux d'attraits irrésistibles.

Trop content de l'aubaine, je me gardai de la détromper. Édith possédait une longue chevelure d'une couleur oscillant entre celle des cara-

mels mous et la blondeur de la bière. Elle souriait continuellement et son visage évoquait
celui des Vierges sur les peintures flamandes.

Elle me témoignait des égards exquis, ne cessait de me demander comment je me sentais et
voulait que je m'appuie sur elle pour marcher.
Je refusai, comme le dur à cuire que je voulais
incarner.

Arrivée devant chez moi, Édith voulut parler
à mes parents. J'exagérai en déclarant que j'étais
orphelin. Le beau regard de la jeune fille s'agran-
dit. Elle me donna son numéro de téléphone.

Le lendemain, Jacques voulut retourner à
Sainte-Ursule avec moi. Je refusai sans daigner
m'expliquer.

– Je vois, dit-il. On croit avoir un ami et puis
il découvre que vous avez la tuberculose.

– Jacques, je sais depuis toujours que tu es
tuberculeux. J'ai décidé de me concentrer sur
mes études, voilà. Par ailleurs, la prochaine fois
que tu vomis du sang dans la rue, ne t'enfuis pas.

– Et toi, la prochaine fois que tu t'évanouis, fais en sorte de ne pas être avec moi.

Sur ces paroles définitives, chacun prit ses distances. Je revis Édith en cachette, je lui écrivis des vers qu'elle trouva splendides. Étais-je amoureux ? Sûrement. Je pensais à elle du matin au soir. Comme j'aurais voulu l'embrasser ! Je tentai de lui arracher un baiser, elle se déroba.

– Je comprends, dis-je. Tu as peur de la contagion.

Piquée, l'adolescente posa aussitôt ses lèvres sur les miennes. Mon absence d'expérience en la matière dut se sentir autant que la sienne, qu'importe : ce fut un instant fabuleux. Je l'enlaçai, la serrai contre moi, découvris son odeur de savon : j'étais conquis.

Elle s'enfuit, m'offrant son absence pour mieux jouir de son cadeau. Je courus me coucher sur mon lit et, regardant le portrait, m'adressai à Maman en ces termes :

– Tu n'es plus la femme de ma vie maintenant !

Quand je revis Édith, elle avait changé.

– Le baiser est d'une contagion extrême. Je me suis renseignée : je vais plus que probablement attraper la tuberculose, ce qui me fermera les portes de l'école d'infirmières. Tu n'aurais pas dû me provoquer, c'était déloyal.

Par amour, je commis alors une immense bêtise :

– Ne t'inquiète pas, Édith, je n'ai jamais été tuberculeux. La flaque de sang du premier jour, c'était l'œuvre de mon ami Jacques.

– Mais tu avais perdu connaissance !

– C'est parce que je m'évanouis à la vue du sang.

La jeune fille eut pour moi un regard de mépris qui déforma ses traits.

– Je ne veux plus jamais te voir ! dit-elle en me quittant.

La vilaine expression que j'avais découverte sur son visage me guérit à la seconde. Je n'éprouvai aucun chagrin, rien que du soulagement à l'idée de ne pas m'être laissé prendre. Si Édith m'avait vraiment aimé, elle se serait réjouie de ma bonne santé. Et surtout, son air offusqué m'avait renseigné sur sa nature.

Depuis cette affaire, il m'est resté un réflexe plein de sagesse : ne jamais tomber amoureux d'une femme sans l'avoir vue fâchée. La contra-riété révèle la personnalité profonde. Tout le monde peut se mettre en colère, moi comme les autres, mais il y a un mur de différence entre la saine fâcherie et le visage offensé. Celui-ci anéan-tit chez moi la cristallisation.

De retour en classe, j'appris que Jacques avait vendu la mèche au sujet de mon talon d'Achille.

– Alors, comme ça, on s'évanouit à la vue du sang ? me dit-on en se gaussant.

Perdre un ami est une épreuve. Dix années d'amitié avec Jacques partirent en fumée. Je ne montrai pas ma peine. J'avais quinze ans, je venais de vivre mon premier baiser et ma pre-mière trahison.

Il y avait au dernier rang un garçon au visage impassible qui ne cessait d'étudier on ne savait quoi. J'allai m'asseoir à côté d'Hubert et je vis qu'il traçait des idéogrammes.

– Tu apprends le chinois ?

– C'est du japonais, même si c'est assez proche.

– Pourquoi tu fais ça ?

– Parce que ça va de soi.

Aucune morgue dans son ton. En l'interrogeant, je découvris qu'il parlait et écrivait déjà le sanscrit. Pour autant, Hubert n'avait rien du premier de la classe, qu'il n'était d'ailleurs pas. En mathématiques, sciences et gymnastique, il était encore plus faible que moi, ce qui n'est pas peu dire.

– Je m'évanouis à la vue du sang, ne tardai-je pas à lui avouer.

– C'est arrivé jusqu'à mes oreilles.

– Tu trouves ça ridicule ?

– Je n'en pense rien.

C'était une réponse qu'il donnait souvent.

Hubert, qui n'inspirait rien de particulier à qui que ce fût, demeurait indifférent à tous, y compris à lui-même. Nous devînmes inséparables. Les professeurs nous appelaient Durtenothomb ou Nothombédurt, comme Castor et Pollux. Hubert Durt n'était jamais atteint par les querelles d'ego, de susceptibilité ou de testostérone.

Un jour, dans le désir de l'épater, je lui déclarai que j'avais déjà embrassé une fille sur la bouche.

– Est-ce que c'était bien ? me demanda-t-il sans affect.

– Sacrément.

Il enregistra l'information, comme quelqu'un qui la vérifierait en temps et en heure. Tel est pris qui croyait prendre : ce fut moi l'épaté.

Je n'eus pas d'autre ami jusqu'à la fin de ma scolarité. Hubert me fit beaucoup de bien. Sa sagesse et sa douceur déteignirent sur moi, du moins je veux le croire.

À l'université de Namur, je commençai des études de droit. Namur était l'unique ville belge à trouver grâce aux yeux de Baudelaire. J'y partageais un studio avec Henri, qui était comme moi étudiant de première année de droit. C'était un très beau garçon aussi séduisant que sympathique. La semaine, nous prenions plaisir à nous encanailler ensemble dans les bas-fonds namurois. Le week-end, nous retournions à Bruxelles où nous fréquentions les mêmes soirées chics. Fils de bonne famille, il ne nous serait pas venu à l'esprit de ne pas revêtir de smoking pour nous y rendre, vaguement conscients qu'un tel attirail, à dix-huit ans, était ridicule.

Un soir mondain, Henri me rejoignit avec un air de souffrance qui m'intrigua.

– Je suis amoureux, me confia-t-il.

J'éclatai de rire.

– Ce n'est pas drôle. Elle ne m'aime pas.

– De qui s'agit-il ?

Il me montra une grande jeune fille d'une beauté très sophistiquée.

– Elle s'appelle Françoise.

– Elle est belle, mais un peu froide, non ?

– Tu ne peux pas comprendre. Je pourrais mourir d'amour.

– Va lui parler, animal !

– J'ai essayé. Elle répond par monosyllabes et détourne le regard.

– Insiste.

– Ça fait trois soirées que je la courtise ! Elle ne me témoigne que de l'ennui.

– Quelle idiote ! Lâche l'affaire.

– Je suis amoureux fou, te dis-je.

– Écris-lui une lettre.

– Je lui en ai déjà écrit au moins trente. Regarde.

Il sortit de ses poches des papiers froissés qu'il me tendit. Je les dépliai et je lus des fadaises.

– Tu lui as remis un de ces torchons ?
demandai-je.

– Non.

– Alors, rien n'est perdu. Veux-tu que je lui
écrive une lettre signée de ton nom ?

– Tu es un frère.

Dès le lendemain, je m'y attelai. Fabuleux
exercice que la lettre d'amour ! Moi qui n'en
avais jamais rédigé pour mon compte, je découvris l'ivresse d'écrire astucieusement les mots de
la foudre. Je retrouvai Henri qui lut mon travail,
les yeux écarquillés.

– Tu es amoureux de Françoise ou quoi ?
interrogea-t-il.

– Elle n'est pas mon genre.

– Si après ça elle ne m'aime pas, c'est que le
cas est désespéré.

Il signa et posta la lettre. Quelques jours plus
tard, la concierge namuroise glissa une enve-
loppe sous la porte de notre studio. Blême,
Henri se jeta dessus et lut.

– Je suis aimé ! s'écria-t-il.

Il me tendit l'épître de Françoise. À ma surprise, je découvris qu'elle écrivait admirablement, avec cœur et esprit. Si elle n'avait pas eu ce visage glacial, j'aurais pu tomber amoureux.

– Patrick, c'est grâce à toi. Je vais la voir ce week-end à la soirée des Kettenis.

J'y étais invité aussi, je pus donc assister à leurs retrouvailles.

La jeune fille était toujours aussi belle mais plus distante que jamais.

– Tu y comprends quelque chose ? demanda Henri en s'éloignant.

– Elle est timide, suggérai-je.

– Lui écrirais-tu à nouveau pour moi ?

Le pli était pris. Je ciselai un camée épistolaire dans lequel je coulai une dose de désespoir, une d'indignation et une de fureur. La réponse ne tarda pas : épître sublime dans laquelle la petite sœur de la princesse de Clèves s'insurgeait de telles manières. « Henri, à quoi vous attendiez-vous ? Quand je vous écris, j'ai les joues en feu. Comment pourrais-je soutenir votre regard ? »

– Elle m'aime ! s'écria Henri.

– Qu'est-ce qu'elle est compliquée ! soupirai-je.

Le scénario se reproduisit : à la soirée des van Ypersele, Françoise daigna à peine adresser la parole à Henri.

– Quelle énigme, cette fille ! dit mon ami, décontenancé.

– Nous en viendrons à bout, déclarai-je.

J'écrivis une missive si fougueuse qu'Henri me demanda si je n'exagérais pas.

– Tu l'aimes, oui ou non ?

– Je ne voudrais pas l'effrayer.

– Tu as tort. Il faut fissurer l'iceberg. Sinon, tu vas sombrer comme le *Titanic*.

La jeune fille avait autant de répondant par écrit qu'elle en manquait à l'oral. Si Henri essayait de l'embrasser, elle se dégageait avec épouvante. C'était au-delà de la pruderie. Mon ami et moi en vînmes à nous demander si elle ne souffrait pas de quelque anomalie.

Au bout de six mois, comme Henri n'avait toujours rien obtenu, ni baiser ni rendez-vous, il me supplia d'enquêter. Je n'attendais que cela.

Je trouvai l'adresse de la jeune fille et j'allai frapper à sa porte. Une petite demoiselle de seize ans me reçut.

– C'est vous l'amoureux de ma sœur ?

– Non, je suis Patrick, son ami.

– Et pourquoi Henri ne vient-il pas en personne ?

Je tentai de le lui expliquer, non sans remarquer que la petite sœur était aussi vive et charmante que la grande ne l'était pas. Je finis par lui parler de mille autres choses. Soudain, une créature en bigoudis et lunettes apparut dans l'entrée en s'adressant à mon interlocutrice d'un ton sec :

– C'est ça, étudier ?

Je la regardai et la reconnus, je m'écriai :

– Françoise !

Elle me vit, m'identifia et s'enfuit.

– C'est quoi, son problème ? demandai-je à la petite sœur.

– Elle ne supporte pas qu'on la voie au naturel.

– C'est plus grave. Elle ne supporte même pas qu'Henri lui parle en aparté. Est-elle amoureuse, oui ou non ?

– Oui. Mais elle manque tellement de confiance en elle.

– Croyez-vous qu'elle surmontera ce problème ? Henri peut-il espérer ?

La jeune fille poussa un soupir.

– Je vais essayer de l'influencer, dit-elle.

Je rejoignis Henri et lui expliquai ce à quoi j'avais assisté.

– Tu sais, j'ai vu Françoise avec des lunettes et des bigoudis, elle faisait moins rêver.

De telles paroles n'atteignirent pas l'amoureux. Il me commanda aussitôt d'écrire à Françoise une lettre dévastatrice d'amour. Je m'exécutai. La réponse ne tarda pas. Françoise n'avait jamais usé de mots si brûlants. C'était reparti.

Je m'aperçus que la petite sœur de Françoise m'était restée en tête. Je trouvai un prétexte pour la revoir. Elle était encore plus belle que dans mon souvenir, d'esprit joyeux et pleine d'entrain dans la conversation.

Un après-midi que je lui tenais compagnie, Françoise vint me dire que je n'avais pas à courtiser sa sœur, que ça ne se faisait pas et qu'elle « ne sortait pas encore dans le monde ».

Danièle mit ses poings sur ses hanches, prit un air furieux et déclara :

– Veux-tu bien te mêler de ce qui te regarde ?

Je photographiai des yeux cette juste colère vécue sans façons : n'était-ce pas mon critère de sélection ? Danièle m'avait conquis.

Henri, lui, devenait fou. Après un an de soupirs et de lettres enflammées, Françoise demeurait cette forteresse inexpugnable.

Sans plus le consulter, je m'adressai à Danièle, lui parlant du désespoir de mon ami. Elle me prit par la main :

– Allons nous promener dans le quartier.

Quand nous fûmes à distance de chez elle, Danièle déclara :

– C'est moi qui réponds aux lettres d'Henri.

J'écarquillai les yeux et dis :

– C'est moi qui les écris !

Un instant ahuris, nous éclatâmes de rire. Ensuite, j'exigeai une explication.

– Tu es drôle, toi ! J'écris à la place de Françoise pour la même raison que toi, tu écris à la place d'Henri. Ils sont réellement amoureux, tous les deux, mais ils manquent de confiance en eux.

– Pourquoi est-ce que ta sœur refuse le moindre rendez-vous ?

– Elle dit qu'elle manque d'esprit.

– Réponds-lui qu'Henri en est aussi persuadé pour lui.

Danièle dut plaider habilement sa cause, car mon ami obtint enfin un rendez-vous. Dès lors, il n'eut plus besoin de mes services épistolaires, ni Françoise de ceux de sa sœur. Et je commençai à écrire à Danièle des lettres qui, pour être très différentes de celles que j'avais signées du nom de mon ami, n'en étaient pas moins inspirées par l'amour. Ses réponses m'enchantaient.

Dans les années 50, ces milieux, en Belgique, étaient aussi codifiés que la cour de Henri III. Je dus attendre que Danièle ait dix-huit ans et «fasse son entrée dans le monde» pour la courtiser de manière officielle.

J'avais vingt ans, je ne voyais aucune raison d'attendre. Je confiai à Danièle mon terrible secret :

– Je m'évanouis à la vue du sang.

– Décidément, rien n'est ordinaire chez toi.

– C'est valable aussi pour le steak tartare et le rosbif.

– Nous mangerons de la semelle de botte.

Je la demandai en mariage, elle accepta. Nous étions en 1956, notre vie commençait.

Pas du tout. Ce fut le moment que choisit Pierre Nothomb pour se manifester. Il me téléphona pour déclarer qu'il interdisait cette union.

– Cette demoiselle n'est pas d'une assez bonne famille pour nous.

– Grand-Père, qu'est-ce que vous racontez ?

– Nous sommes les Nothomb, je te rappelle. C'est un Nothomb qui a rédigé la Constitution de notre pays.

– Nous ne sommes pas les Windsor, que je sache.

– Nous n'en sommes pas si éloignés que tu le crois.

Je raccrochai, décidé à le laisser à son délire, et me rendis aussitôt chez Danièle.

Pour la première fois, ce fut son père qui m'ouvrit la porte. Je découvris un homme immense et superbe, âgé de quarante-cinq ans, très élégant.

– Patrick Nothomb, je présume ?

– Lui-même. Je viens voir ma fiancée.

– Je suis désolé, ma fille ne peut pas être

votre fiancée. Croyez que j'en suis navré. Votre grand-père m'a téléphoné pour m'interdire de vous recevoir.

– Nous ne sommes pas obligés d'obéir à ce despote.

– Vu la façon dont il a insulté ma famille, je regrette de vous en assurer, mais je m'opposerai à cette union.

J'étais en proie à un sentiment indescriptible : à la fois fou de colère et séduit au plus haut degré. L'homme que je venais de rencontrer incarnait le père dont j'avais toujours rêvé. Le plus étrange était la réciprocité : cet homme, père de trois filles, découvrait le fils qu'il avait espéré. Nous étions l'un et l'autre sous le charme et nos paroles ne correspondaient en rien à ce que nous éprouvions.

– Monsieur, j'aime votre fille et je me battrai pour qu'elle devienne ma femme.

– Mon jeune ami, vous m'êtes très sympathique. Ne gâchez pas votre vie pour une cause perdue.

Je fis des recherches et je trouvai que le

chevalier Guy Scheyven, père de Danièle, était issu de la noblesse brugeoise. Certes, il avait commis une mésalliance en épousant Guilaine Boucher, issue de la bourgeoisie tournaisienne. De là à affirmer que Danièle n'était pas d'une assez bonne famille pour les Nothomb, il y avait de la marge. J'expliquai cela au téléphone à Pierre Nothomb qui me rit au nez.

– Tu me remercieras plus tard, mon cher. De toute façon, j'ai appelé son père et il m'a très bien compris.

– Oui, vous avez injurié cet homme qui est la noblesse même.

– Quel langage parles-tu, mon petit ?

– Un langage moins suranné que le vôtre.

Je n'aurais jamais cru vivre une situation aussi irréelle. Il avait fallu cela pour que je me rende compte de l'arriération du monde auquel j'appartenais. À cet instant, je décidai que Danièle et moi, nous nous expatrierions.

Car il était hors de question que je renonce à elle. Nous nous vîmes donc en cachette. Le lieu de nos rendez-vous secrets était le pavillon de l'Octroi, à l'entrée du bois de la Cambre. Nous ne pouvions nous y voir qu'une fois par semaine. Le reste du temps, nous nous écrivions des lettres brûlantes qui nous étaient remises par l'intermédiaire d'Henri et de Françoise.

Quand j'eus fini mes études de droit, je passai avec succès le concours diplomatique. Il ne me restait plus qu'à épouser Danièle. J'annonçai à la Belgique entière la nouvelle de mon mariage.

Pierre Nothomb me téléphona aussitôt.

– Tu perds la raison, mon petit.

– Ce que je fais est parfaitement légal. Vous n'avez pas le droit de m'en empêcher.

– Je ne rencontrerai pas cette femme…

– C'est là que vous vous trompez. Danièle et moi arrivons au Pont d'Oye samedi prochain.

– Je ne la recevrai pas.

– Très bien. Danièle répétera partout qu'en plus d'être un monstre de snobisme, vous êtes un grossier personnage.

Le coup porta, je devinai que Grand-Père recevrait ma fiancée. Restait à savoir comment.

Au jour dit, j'empruntai la voiture de ma mère pour conduire Danièle au fin fond des Ardennes. La malheureuse, consciente de l'examen qui l'attendait, était pâle comme un suaire. Je passai le trajet à tenter de la mettre à l'aise, en vain.

Pierre Nothomb se dressait devant le château en statue du Commandeur. La jeune femme le salua en bégayant de terreur.

– Bonjour, mademoiselle, dit-il cérémonieusement. Vous êtes la beauté même !

Cette parole eût pu être aimable si elle n'avait pas été accompagnée d'insinuations méprisantes.

Les Nothomb arrivèrent peu à peu pour découvrir l'objet du scandale. Danièle blêmissait à vue d'œil. On l'emmena se promener dans la forêt.

Grand-Père ne cessait de l'observer en coin.

– Vous ne regardez pas le lac, mademoiselle.

– Si si, je le regarde.

– Et comment le trouvez-vous ?

D'habitude, ma fiancée ne manquait pas de répartie. L'épreuve était si rude qu'elle n'en avait plus aucune. C'est ainsi qu'elle répondit :

– Je trouve que le lac est mignon.

On s'esclaffa vilainement. Simon, qui voulait prolonger le sketch, demanda à Danièle comment elle trouvait la forêt. La pauvre balbutia :

– Je trouve que la forêt est riante.

C'était la curée.

Pendant le déjeuner, la jeune femme ne put rien avaler.

– Savez-vous qu'en tant qu'ambassadrice, si toutefois vous le devenez un jour, il vous faudra goûter de chaque plat dans les repas protocolaires ? lui lança Pierre Nothomb.

Danièle me regarda pour m'appeler au secours. Je dis n'importe quoi :

– Danièle surveille sa ligne.

Éclats de rire.

– Voyons, mademoiselle, vous êtes mince comme un fil, c'est ridicule.

Comme nous prenions le café au jardin, je vis que Grand-Mère parlait gentiment à ma fiancée. Mon soulagement fut de courte durée. Grand-Père me prit à part et me déclara :

– Je pense que tu as compris, mon petit. Ce mariage est inconcevable. Elle est parfaitement idiote. Je te rends service, crois-moi. Elle est ravissante, c'est certain. Eh bien, fais-en ta maîtresse.

Ulcéré, je prétextai une obligation pour partir au plus tôt et tirer Danièle de là. Pendant le trajet du retour, je pus mesurer l'extraordinaire positivité de ma fiancée, qui me dit :

– Ton grand-père est un peu rasoir, mais j'adore ta grand-mère.

Elle n'avait même pas remarqué la séance d'humiliation que Pierre Nothomb lui avait infligée. Quelle force et quel courage ! Je fixai la date de notre mariage au 13 juin 1960.

Peu après, je reçus la visite du père de Danièle.

– Il est encore temps de renoncer, me dit-il.

Je m'emportai :

– Pourquoi dites-vous cela ? J'avais l'impression que vous aviez de la sympathie pour moi.

– Précisément. Cette union scandalise votre famille.

– Et vous trouvez qu'elle a pour cela un bon motif ?

– Non. Mais je ne voudrais pas que vous regrettiez un jour d'avoir épousé ma fille.

– J'aurai d'autant moins de regret qu'elle est votre fille. Voyez-vous, le drame de mon existence, c'est de ne pas avoir eu de père. Vous représentez pour moi le père idéal.

Troublé par cette déclaration, celui qui allait devenir mon beau-père n'insista plus.

Le jour des noces, Pierre Nothomb tenta avec lui le même exercice qu'il avait imposé à Danièle. Je ne sus jamais ce que mon beau-père lui rétorqua, mais je vis Grand-Père s'éloigner de lui livide comme quelqu'un qui a essuyé un échec cuisant. Il ne fut plus jamais question de l'extraction prétendument basse de mon épouse.

Un diplomate ne part pas aussitôt à l'étranger. Il passe d'abord deux ans à travailler au ministère des Affaires étrangères, histoire d'apprendre qui seront ses interlocuteurs pendant les quarante années à venir.

Au début de l'automne 1961, Danièle m'annonça qu'elle était enceinte. Cette nouvelle me bouleversa : ce dont j'avais toujours si douloureusement manqué, j'allais le devenir.

– Ce sera pour fin mai, dit-elle.

– Tu ne pouvais pas me préparer de plus beau cadeau d'anniversaire, répondis-je.

Je ne croyais pas si bien dire. La grossesse se déroula sans encombre et tout présageait que le bébé naîtrait le 24 mai.

Hélas, si j'ose m'exprimer ainsi, le 23 mai,

Danièle éprouva les premières contractions vers dix-huit heures. Comme je m'exclamai :

– Retiens-toi ! Plus que quelques heures et nous serons le 24 mai.

Elle me jeta un regard où je lus ma bêtise et mon incompétence.

À vingt-trois heures trente, Danièle accoucha d'un garçon. C'était l'époque où le père n'était pas invité à assister à la délivrance, m'évitant de m'évanouir. Je ne fus appelé que quand l'enfant fut nettoyé de toute trace de sang.

Mon fils s'appela André, comme mon père. Celui qui me transforma en père ne pouvait porter que le prénom de mon père. Quand je le pris dans mes bras, je ressentis un amour si grand que je ne trouvai aucun mot.

André fut un bébé fragile et inquiet. Il tombait facilement malade. Pierre Nothomb, avec qui je m'étais réconcilié, se déplaça à Bruxelles pour rencontrer son premier arrière-petit-enfant. Il récita des vers qu'il venait de composer et le bébé eut l'air de l'écouter avec émotion.

– Je savais que notre André serait un poète, déclara l'aïeul.

Chaque fois que je ne craignais pas de le déranger, je prenais André contre mon cœur. Le mystère renaissait à chaque étreinte : un gouffre d'amour, aussi vide que plein, me déchirait la poitrine. C'était une gigantesque interrogation : la paternité était ma vocation, je le sentais et, pourtant, je n'avais aucune idée de ce en quoi elle consistait.

Je comptais sur le bébé pour me l'enseigner.

Ma première affectation fut le Congo qui venait d'obtenir son indépendance. Danièle, André et moi partîmes vivre dans cette capitale qui ne tarderait plus à s'appeler Kinshasa.

Me qualifier d'anticolonialiste serait un euphémisme. J'étais enthousiaste au dernier degré de découvrir ce pays enfin libre.

L'été 1964, l'ambassadeur de Belgique me nomma consul à Stanleyville. Laissant ma famille dans la capitale, j'y atterris pour prendre mon poste. Le pays était alors en proie à des querelles intestines explosives et une rébellion qui se voulait marxiste couvait dans tout le pays depuis l'indépendance.

Le 6 août, commença ce qui devait être la plus grande prise d'otages du vingtième siècle. Les rebelles s'emparèrent de la ville et les mille cinq cents Blancs qui y habitaient devinrent otages. Les nouveaux maîtres de Stanleyville avertirent les autorités de la capitale que, s'ils n'acceptaient pas leurs conditions, les otages seraient exécutés.

Leurs exigences étaient simples : ils voulaient que soit reconnu leur État de l'est, la République populaire du Congo, avec pour capitale Stanleyville. Il coulait de source qu'ils ne se contenteraient pas de régner à l'est. Mais qu'ils voulaient occuper le pays tout entier.

Je parle de cela au passé alors que rien n'est révolu. Nous sommes en novembre, la prise d'otages a commencé début août. J'ai l'impression d'être ici depuis toujours.

Très vite, les rebelles regroupèrent les Blancs au Palace Hôtel. Les personnes âgées, les femmes enceintes et les malades purent loger dans des chambres. Tous les autres otages, dont je faisais partie, furent parqués dans le grand hall de l'hôtel, qui devint notre lieu de vie.

Chaque matin, les rebelles arrivaient avec des fusils d'assaut en déclarant :

– Votre gouvernement ne nous a toujours pas reconnus. On va tous vous tuer.

Chaque matin, je me proposais comme interlocuteur.

– C'est un projet intéressant. Mais en tant que consul de Belgique, je suggère que nous commencions par parler.

Il s'agissait alors pour moi de m'asseoir en cercle avec leurs chefs et de parler jusqu'à la nuit. La survie de mille cinq cents otages dépendait non pas de mon éloquence, mais de mon aptitude à participer à de formidables palabres. Je devins capable, puisqu'il le fallait, de parler pendant des heures avec la dernière véhémence, de les assurer de notre sympathie, de notre probable reconnaissance dès que nous aurions en main leurs revendications.

Peu importait que je raconte des aberrations. Ce qu'il fallait, c'était tenir des propos convaincants. Les répétitions étaient bienvenues, il fallait enfoncer le clou.

Parmi les motifs de colère des rebelles, il y avait le refus d'obtempérer du gouvernement de la capitale. Chaque jour, je devais signifier non seulement mon indignation à l'égard de cet état de choses, mais aussi mon impuissance à le changer.

À quoi les rebelles répondaient immanquablement que si la Belgique reconnaissait leur gouvernement, la capitale suivrait. Raisonnement que je récusais en signalant que le colonialisme n'avait plus cours, que la Belgique avait perdu et que je m'en réjouissais.

Il ne fallait jamais laisser le silence s'installer durant les palabres. Si je me taisais et si les autres se taisaient aussi, le démon de la gâchette se réveillait presque aussitôt.

D'un naturel plutôt taciturne, j'appris à devenir un moulin à paroles. J'étais le nouveau Shéhérazade : de mon aptitude à parler dépendait la vie de mes compatriotes. Bien sûr, il ne fallait pas dire n'importe quoi, les rebelles m'écoutaient vraiment. Mais en cas de panne sèche, la sagesse consistait à reprendre mon discours de zéro. Et si l'un des rebelles m'interrompait alors en disant :

– Vous avez déjà dit ça.

Il fallait répondre :

– C'est pour les nouveaux arrivants.

Car le cercle des palabres ne cessait de s'élargir.

Le 5 septembre débarqua à Stanleyville le chef de la rébellion de l'Est, Christophe Gbenye. Il devint le jour même président de la République populaire du Congo.

– Comment ça va ? me demanda-t-il en me rencontrant.

– Très bien, merci, monsieur le Président.

– Depuis quand êtes-vous à Stan ?

– Depuis le 1ᵉʳ août.

– Et vous vous plaisez ?

– Pourquoi pas ?

Gbenye se joignit à nos palabres. Comme les autres rebelles, il se révéla d'une éloquence peu ordinaire.

Quand le soir tombait, j'en venais à oublier l'épuisement. La parole circulait et lorsqu'elle

me revenait, je m'en emparais corps et âme jusqu'au moment où je la lançais comme un ballon
sur qui voulait l'attraper. Ces joutes verbales
duraient jusqu'au moment où tout le monde
sombrait dans le sommeil : cet instant m'échap-
pait presque toujours et je me réveillais par terre,
avec les autres.

Comme n'importe qui en pareilles circons-
tances, j'étais guetté par le syndrome de
Stockholm. Ce qui m'empêcha d'y tomber, c'est
que, malgré mes efforts constants, les rebelles
tuèrent quelques otages, parfois sous mes yeux.
Je m'appliquais alors à ne pas regarder les corps
ensanglantés. Si les rebelles découvraient que le
consul de Belgique s'évanouissait à la vue du
sang, je perdais toute crédibilité, j'étais un
homme fini.

Gbenye remarqua ce manège.

– Monsieur le Consul, pourquoi ne regardez-
vous pas le cadavre de votre ressortissant ?

– Par respect pour son âme, monsieur le Président.

Réponse qui suscita de l'intérêt.

Chaque fois qu'un otage était tué, je devais lutter contre l'horreur et le découragement, argumenter avec moi-même en me défendant de devenir mon propre ennemi. Si je ne gardais pas un moral d'acier, je ne pourrais pas prolonger ma défense par la parole.

À chacun sa technique pour ne pas se décourager. La mienne consistait à refuser qu'il y ait un autre monde : tout se passait ici, je n'avais jamais eu d'autre vie. Si je me mettais à penser à ma famille, j'étais perdu. Parfois, quand je baissais la garde, j'étais assailli de songeries d'une douceur effroyable, telles que le parfum des cheveux de Danièle. Il me fallait les chasser aussitôt, sauf à sombrer dans la fragilité de la nostalgie.

On a beaucoup simplifié le syndrome de Stockholm. Il n'y a pas que l'amour. Dès qu'un gardien baisse d'un ton en gueulant, dès qu'un cuistot distrait vous verse une louche de rab, dès que vous recevez un regard humain, dès que vous êtes écouté en adversaire digne de ce nom, vous êtes envahi d'une bouffée de gratitude irrépressible. Échapper au mauvais traitement de la veille suffit à vous convaincre que vous êtes un élu. Ce n'est pas vous qui vous éprenez, c'est vous qui vous sentez curieusement chéri. Il s'agit d'une variante de l'érotomanie qui peut se compliquer d'un masochisme paradoxal. L'otage qui tombe amoureux est celui à qui la conviction d'être aimé inspire un trouble maniaque.

Je ne suis jamais tombé amoureux de mes geôliers, mais j'ai dû me défendre d'élans de reconnaissance quand, lors des palabres, un rebelle accueillait mes paroles avec feu.

Puisque ce nouvel État se voulait communiste, j'essayais de me montrer plus marxiste que Marx.

– La propriété, c'est le vol. Si vous prenez possession de la ville, vous la volez.

– Nous n'en prenons pas possession, nous l'occupons. C'est très différent.

– Comment expliquez-vous qu'il soit légitime de nous garder en otage ?

– La révolution n'est pas un dîner de gala.

– Pour l'image de marque d'un jeune pays qui

se veut exemplaire, la méthode me paraît douteuse.

– Si vous suiviez l'affaire en lisant le journal, à Bruxelles, c'est à nous qu'irait votre sympathie.

Ce dernier argument était confondant. Je tentais de me persuader qu'il était faux. Je n'y arrivais pas complètement. Comme quoi l'éloquence des rebelles avait toujours une longueur d'avance.

Je mangeais le plus souvent pendant les palabres. Bananes, cacahuètes, moambe, sakasaka, tout me paraissait délicieux. Cette situation, loin de me couper l'appétit, me donnait encore plus faim qu'à l'ordinaire.

La nourriture des otages provenait des réserves de boîtes de conserve de l'hôtel, heureusement colossales. Beaucoup s'en dégoûtèrent très vite. Pas moi. Je confesse avoir eu souvent ce genre d'échanges avec certains compatriotes.

– Tu es déprimé, hein ?
– Oh oui.
– Tu n'as plus goût à rien, tu perds l'appétit ?

– C'est ça.

– Alors, donne-moi ta boîte de raviolis.

Manger à même la conserve ne me dérangeait pas.

Plusieurs bébés naquirent à l'hôtel depuis le début de notre incarcération. À chaque fois, j'en fus aussi bouleversé que si j'étais le père.

La plupart des meurtres d'otages se produisaient en l'absence des chefs. Je mettais donc tout en œuvre pour que ceux-ci s'éloignent le moins possible. Les jours de pluie, j'obtenais plus facilement que les palabres aient lieu dans le hall du Palace Hôtel. Malheureusement, il faisait presque toujours très beau et l'on m'emmenait palabrer dehors, près du fleuve.

Il pouvait arriver que je sois averti d'une exécution imminente. J'accourais alors pour me mettre entre la victime et les bourreaux. Si l'on me demandait ce que je faisais là, je répondais :

– Mon métier.

– Vous êtes bouclier humain ?

– Je suis le négociateur.

– Qui vous a donné ce titre ?

– Le président Gbenye.

Ce nom dissuadait les candidats au meurtre. Hélas, cette méthode connut des échecs. Rien n'est pire que d'assister à un assassinat sans pouvoir intervenir. J'appliquais la devise nietzschéenne, je détournais le regard, non pas par obédience au gai savoir, mais pour ne pas m'évanouir, provoquant toujours le questionnement dont j'ai déjà parlé.

Il advint aussi que je découvre des cadavres d'otages plus très frais.

– Et vous les regardez ? remarquaient les rebelles.

– Leur âme n'est plus là.

Traduction : le sang avait séché.

Chaque nouveau mort signalait les limites de mon pouvoir de négociateur. Au-delà de l'horreur, j'en éprouvais de la culpabilité. Il me fallait alors parlementer avec moi-même : « Tu ne peux pas être partout à la fois. Sans toi, tous les otages auraient été massacrés depuis le premier jour. » À quoi je devais me faire violence pour ne pas répondre : « Ç'aurait été beaucoup mieux comme ça. Tant de souffrances et tant d'angoisse auraient été épargnées. Nos familles porteraient notre deuil au lieu de se ronger d'anxiété. »

Difficile, alors, de ne pas penser à Danièle devenue veuve comme ma mère, presque au même âge. Mais non, cet univers parallèle n'existait pas. Il n'y avait pas d'arrière-monde, pas d'autre pays, pas d'autre ville, et surtout pas d'autres personnes.

Entre les otages naquirent des amitiés étonnantes. Les Belges d'ici se connaissaient depuis longtemps et ne s'appréciaient pas forcément. Il fallut les mois de rétention dans le hall de l'hôtel pour qu'apparaissent certaines affinités.

En fouillant dans les caves, l'un d'entre nous tomba sur un immense stock de vermouth. Nous aurions aimé le remonter à la surface pour le partager, mais nous avions à cœur de ne pas en donner à nos geôliers. L'information circula : « Si votre moral descend en dessous de zéro, glissez-vous dans tel sous-sol et servez-vous. »

J'avais très envie d'en boire aussi. Hélas, c'était trop dangereux. En cas de palabres – et celles-ci pouvaient commencer n'importe quand –, une haleine chargée m'aurait trahi.

Beaucoup d'otages avaient eu la présence d'esprit d'emporter des paquets de cartes. Le whist devint la principale activité. Certains Belges y jouaient sans aucune interruption. Ceux qui avaient des livres les prêtaient. Tout le monde regretta qu'il y en ait si peu.

Début août, je pensais ne venir à Stanleyville que pour trois semaines, aussi n'avais-je pris que deux romans, *Un roi sans divertissement* de Giono et *La Pitié dangereuse* de Zweig. Le dernier devint mon livre de chevet. Je l'économisais. Pourquoi cette histoire, si étrangère à ce que je vivais, me bouleversait-elle à ce point ? Peut-être pour ce motif.

Le président Gbenye me surprit en pleine relecture.

– Que lisez-vous, monsieur le Consul ?

Je lui montrai la couverture.

– *La Pitié dangereuse*. Beau titre, dit Gbenye.

– En effet.

– Rassurez-vous. Le moment venu, nous n'aurons pas pitié.

De tels propos ne rassuraient pas. « Le moment venu. » Pensait-il à la même chose que moi ? Quand j'imaginais des dénouements possibles, j'entrevoyais la solution probable d'un parachutage de l'armée belge. Je le souhaitais autant que je le redoutais, car si cela se produisait, mes talents de Shéhérazade ne suffiraient plus à éviter le bain de sang. Aux rebelles qui m'interrogeaient, je répondais que cette hypothèse ne pouvait être envisagée.

– Les Belges choisissent toujours la négociation, répétais-je.

– Comme vous ?

– Oui. Je suis représentatif.

– Pourtant, votre gouvernement se tait.

– Je n'en sais rien, je n'ai pas de contact avec le ministère. Mais n'oubliez pas qu'en tant que diplomate, je représente mon gouvernement.

– Alors, reconnaissez notre État.

– Je ne fais que cela. Malheureusement, ma parole ne suffit pas.

– C'est pourquoi nous vous gardons en otage.

– C'est pourquoi je vous déconseille de nous tuer.

C'était reparti. J'avais l'impression d'être un mathématicien démontrant mille fois le même théorème de façon plus ou moins élégante. Parfois, un rebelle me demandait à brûle-pourpoint :

– Qu'est-ce qui nous empêche de vous tuer, là tout de suite ?

Je répondais :

– Cela donnerait une mauvaise image de votre jeune République.

Ou :

– Vous perdriez un négociateur qui a plaisir à palabrer avec vous.

Ou encore :

– Je suis votre mémoire vivante. Quand votre État sera reconnu, je pourrai raconter votre légende au monde entier.

Tant que régnait la parole, je pouvais espérer m'en sortir. Combien de fois est-il arrivé que, sans un mot d'avertissement, un rebelle me mette en joue ? Dans ces cas-là, ce sont ses comparses qui m'ont sauvé :

– Attention, le président aime lui parler, à celui-là.

– Tu crois qu'il voudra le tuer lui-même ?

– C'est possible.

Un jour qu'un gamin de douze ans me visait avec une kalachnikov, je lui servis cet argument :

– Tu ne peux pas. Le président veut me tuer lui-même.

Il a abaissé l'arme, très contrarié.

Comme des centaines d'enfants, il avait été recruté lors de la longue marche. Tous étaient convaincus d'être immunisés contre les balles. En les atteignant, elles se transformaient en gouttes d'eau et eux en *simbas*, lions en swahili. Il était aussi dépenaillé que la horde des Nothomb dans le souvenir de mes six ans. Une troupe loqueteuse a surgi, s'est saisie d'un fusil et a entamé une partie de hand-ball avec la kalach comme ballon. Tout heureux d'avoir échappé au gamin, je les regardais jouer et pensais à ma horde d'enfance qui guerroyait contre la faim, à cette enfance sauvage qui m'avait aguerri et, me disais-je, me donnait la force d'être là, debout et vivant.

Quatre mois d'atermoiements. À considérer comme un succès d'avoir la vie sauve, ne serait-ce que pour une heure. Je n'ai jamais reçu d'enseignement philosophique aussi radical. On nous apprend à tous le fameux *Carpe diem*. Nous avons beau l'approuver, nous ne l'appliquons jamais.

À Stanleyville, il m'a été donné de le vivre corps et âme. De me coucher à terre, sous le ciel, de jubiler de respirer, de sentir l'odeur forte des fientes d'oiseaux, de regarder le réel, d'écouter l'air.

Pourquoi avoir d'autres désirs ?

Quand je dormais, le passé me rattrapait. Dans mes rêves surgissaient Danièle, André, ma mère, le Pont d'Oye. Au réveil, je pratiquais le refoulement actif, m'inventant des ruses pour ne pas m'infester d'espoirs inutiles. Une nuit, j'ai rêvé du *Bateau ivre* et je me suis éveillé en prononçant les vers : « Si je désire une eau d'Europe, c'est la flache / Noire et froide... » Je me tus comme si j'avais prononcé une parole interdite.

Il advint que le président Gbenye me demanda mon opinion sur Patrice Lumumba. C'était la question la plus dangereuse qu'il puisse me poser puisqu'il en avait trahi la pensée et l'action. Si j'avais pu répondre librement, j'aurais dit la sympathie profonde que m'inspirait ce personnage, qu'au demeurant je n'avais jamais rencontré, et la colère qu'avait suscitée en moi son assassinat.

Gbenye avait été un proche de Lumumba. Quand lors des palabres les rebelles évoquaient la figure de Lumumba, c'était avec tant d'équivoque que je mesurais leur peur à l'idée d'indigner Gbenye. Lumumba semblait pour eux le martyr encombrant qu'on ne peut ignorer. Lorsque l'abbé bernanosien tance le jeune prêtre, il lui dit : « Dieu nous préserve des saints. »

Bref, je répondis avec prudence :

– C'est un personnage intéressant. Je n'ai pas eu l'honneur de le connaître. Vous qui l'avez côtoyé, que pensez-vous de lui, monsieur le Président ?

Gbenye eut une réplique ironique et équivoque, digne des casuistiques les plus jésuites. Adorait-il ou haïssait-il Lumumba ? Son propos autorisait les deux hypothèses.

Assassiné en 1961, dans sa grande jeunesse, Lumumba avait le visage même du héros. Sa beauté l'apparentait à Che Guevara. Gbenye, moins jeune, bouille ronde, petit ventre, barbe broussailleuse, évoquait Fidel Castro. Sans doute éprouvait-il pour Lumumba la jalousie secrète que le leader cubain n'eût jamais avoué ressentir à l'égard du Che.

À l'extérieur de la ville, on avait construit de fraîche date le monument Patrice-Lumumba, sorte de flamme moderne et pompeuse. C'est là qu'avaient lieu les exécutions des Africains, comme quoi cela se méritait d'être massacré devant le monument. L'ambivalence des sentiments des rebelles envers Lumumba éclatait dans cette topologie : son nom était associé au peloton.

– Que pense la Belgique de Lumumba ? me demanda Gbenye.

– C'est compliqué. Le temps accomplira son œuvre. Vous verrez qu'un jour, à Bruxelles, il y aura une place Patrice-Lumumba.

– Y aura-t-il une place Christophe-Gbenye ?

– Qui sait ? répondis-je, sans oser lui dire que garder des centaines de Belges en otage et en avoir déjà massacré une trentaine n'était peut-être pas la meilleure méthode pour atteindre cet objectif.

– Qui a tué Patrice Lumumba ? me demanda-t-il à brûle-pourpoint.

Sa question visait uniquement à m'embarrasser. Mille accusations avaient circulé, aucune n'avait pu être vérifiée. Il faudrait sûrement des

années d'enquête pour connaître les coupables.
À l'évidence, Gbenye attendait de moi une
déclaration arrêtée. Aussi répondis-je :

– C'est comme dans *Le Crime de l'Orient-
Express*. L'assassin, c'est chaque personnage.

– C'est malin ! Je ne pourrai plus lire ce livre
maintenant, vous m'avez donné la clé.

Je ne pouvais pas lui rétorquer que, dans
notre situation, nous savions qui étaient les coupables et qui étaient les victimes. L'information
manquante, c'était l'heure du crime, sans oublier
son ampleur : combien y aurait-il de morts ?

Plus le temps passait, plus nous sentions que
le dénouement approchait. Chaque matin, je
m'éveillais en imaginant l'intervention de
l'armée belge pour le jour même.

Cette imminence dont nul ne parlait rendait
tout le monde très nerveux. Les rebelles et les
otages savaient que ce serait un bain de sang.
Nous nous entre-regardions et nous n'avions

pas besoin de parler pour poser la question qui nous hantait : qui mourrait ?

J'entendis des otages tenir les conversations les plus simples :

— S'il m'arrive quelque chose, occupe-toi de mes enfants. Si c'était à toi qu'il arrivait malheur, j'en ferais autant avec les tiens.

— D'accord.

Nous savions que nos geôliers risquaient leur vie, eux aussi. Nous nous efforcions de ne pas y penser. Si étrange que cela puisse paraître, nous ne souhaitions pas leur mort.

J'avais parfois d'inavouables fantasmes : Gbenye viendrait nous annoncer la fin de cette mascarade. Nous étions tous libres, nous n'avions jamais cessé de l'être. On nous avait soumis à un jeu métaphysique afin de nous tester. Hélas, le souvenir des otages massacrés sous mes yeux venait poignarder ma rêverie.

Je devais lutter aussi contre un sentiment de culpabilité infernal : rien que de ne pas être mort m'inspirait de la honte. Mon rôle de négociateur ne manquait pas d'ambiguïté. Il me fallait alors me parler avec la dernière dureté : j'avais choisi la diplomatie. Ce que je faisais n'était ni bien ni mal, c'était mon métier. Sans moi, il y aurait certainement déjà eu beaucoup plus de tués.

Museler ce démon-là se révéla très difficile. Un surmoi singulier, qui prenait la voix de mon grand-père maternel, le général, fut d'un secours incontestable : « Ces états d'âme sont indignes de toi. »

Les palabres commençaient désormais presque toujours par :

– Monsieur le Consul, avez-vous des nouvelles de l'intervention de l'armée belge ?

– Je ne suis au courant de rien.

– Avez-vous eu un contact avec votre ministère ?

Ne pas tomber dans le piège. Il m'était arrivé d'avoir la sottise de rétorquer : « Vous m'avez posé mille fois cette question, vous savez bien que... » Cela m'aurait valu d'être rossé sans douceur. Peu à peu, je compris que leur procédé, lors de l'interrogatoire policier, relevait d'une rhétorique très précise et donc d'une version du monde particulière.

Le temps, ici, n'obéissait pas à la logique commune. Le propos d'hier ne concernait qu'hier. L'un de mes compagnons avait pu bricoler un poste de radio pendant la nuit. C'était l'obsession des rebelles. Ils nous fouillaient régulièrement de fond en comble à la recherche d'un émetteur fantasmatique. Dans une chambre de l'hôtel, ils surprirent une vieille dame en train de régler le conditionnement d'air. J'intervins juste au moment où ils allaient la tuer, la qualifiant de sorcière fabriquant des postes de radio clandestins.

– Je n'ai plus eu le moindre contact avec le ministère depuis quatre mois.

– Quand aurez-vous une communication avec la Belgique ?

– Je ne sais pas.

– Lorsque vous aurez ce contact avec vos dirigeants, que leur direz-vous ?

La question comportait tant de pièges qu'il importait de la contourner purement et simplement. Je devins expert en l'art d'éluder.

Mes réponses évasives finirent par énerver. On m'envoya au cachot pour neuf jours. Ce fut pour moi la pire des punitions. La solitude m'a toujours renvoyé à la tristesse de mon enfance. Je préfère de loin les alarmes de la promiscuité.

Dans ma cellule, il y avait un matelas. Je crus d'abord à une faveur, moi qui, comme les autres, dormais à même le sol depuis des semaines. Je déchantai vite : ce matelas puait au-delà de l'imaginable. Résolu à consacrer mon séjour de reclus à une cure de sommeil, je m'allongeai donc par terre. Les rats s'empressèrent de m'en dissuader. C'est alors que je compris l'odeur atroce du matelas : par une attention exquise, on l'avait aspergé d'un produit antivermine si violent que je me demandai si je n'appartenais pas à la liste des espèces à éradiquer.

Néanmoins, je me couchai sur ce matelas et je me concentrai sur cet effort inouï : ignorer l'odorat et privilégier le toucher. Au bout de deux jours, je ne remarquais même plus le remugle. Mon poste de négociateur m'avait tant occupé que j'étais en grave manque de sommeil. Je dormis tout le temps, ne m'éveillant que pour les repas que je m'empressais d'avaler pour empêcher les rats d'y goûter.

Libéré, je retrouvai les rebelles avec presque autant de plaisir que les otages. Quel bonheur de voir des gens, de parler avec eux ! Je ne me serais pas permis de contredire Sartre et son « L'enfer, c'est les autres », je crois simplement que l'enfer me plaisait.

Je n'allais pas m'en tirer à si bon compte. Lors des palabres suivantes, les rebelles m'interrogèrent :

– En neuf jours d'isolement, vous avez eu le temps de réfléchir. Quelle est la position de votre gouvernement vis-à-vis de notre République populaire ?

– Ce n'est pas dans ma cellule que j'ai eu l'occasion de m'en informer.

– Vous êtes consul de Belgique, oui ou non ?

Les palabres évoluaient mal. La teneur de mes déclarations portait l'irritation de mes interlocuteurs à son comble. Le principal orateur finit par donner l'ordre fatidique :

– Qu'on le conduise au monument !

Je savais ce que cela signifiait. C'était un honneur pour moi : j'aurais droit à un peloton d'exécution devant le monument Lumumba, comme ceux des rebelles qui méritaient d'être fusillés.

Je peux à nouveau m'exprimer au présent. Depuis combien de temps suis-je en face de ces douze hommes ? Mon éblouissement est si profond que je perds la notion de durée. Je la perds activement, j'y mets du mien. Plus je la perds, plus je suis saisi par le vertige de l'imminence. Il n'y a pas de sensation plus forte. Je vais mourir d'une fraction de seconde à l'autre, je suis aussi terrifié qu'impatient. La mort est Achille, je suis la tortue : j'attends mon trépas depuis l'infini. Me rattrapera-t-il ?

Tout à l'heure, j'ai déploré de mourir en pleine santé. Maintenant, je trouve bon de mourir ainsi. Je vais pouvoir vivre la mort à fond, l'embrasser de ma jeunesse. J'ai enfin atteint l'état espéré : l'acceptation. Mieux : l'amour du destin. J'aime ce qui m'arrive. J'aime jusqu'à l'absolu de mon ignorance. N'est-ce pas la juste manière d'entrer dans la mort ?

J'entends le vrombissement d'un moteur et le crissement des pneus.

– Arrêtez !

C'est la voix de Gbenye.

– On ne tue pas cet homme, déclare-t-il avec autorité.

Je comprends qu'il s'agit de moi. Je traverse un instant de regret : j'étais prêt, je ne sais si, un jour, je serai aussi prêt.

La seconde d'après, une joie sans égale s'empare de moi. Elle est si violente que j'en oublie d'avoir honte. Je suis vivant et je vais le rester. Combien de temps ? Deux minutes, deux heures, cinquante ans ? Je jure que la réponse n'importe pas. C'est ainsi qu'il faut vivre. J'espère garder cette conscience éternellement.

Gbenye s'approche de moi avec enthousiasme.

– Comment allez-vous, monsieur le Consul ?

– Très bien, monsieur le Président.

– Qu'avez-vous pensé de notre petite plaisanterie ?

– Votre sens de l'humour sort de l'ordinaire.

Gbenye cherche quel propos serait susceptible de me blesser davantage. Il trouve :

– Avez-vous des enfants, monsieur le Consul ?

– Oui, monsieur le Président.

– Combien ? Comment s'appellent-ils ?

– Un garçon de deux ans, André, et un bébé fille, Juliette.

– Voulez-vous avoir un troisième enfant ?

– Cela dépendra de vous, monsieur le Président.

Épilogue

Le 24 novembre 1964, au petit matin, les parachutistes belges atterrirent à Stanleyville. Les otages attendaient autant qu'ils redoutaient cet instant. Les rebelles les firent sortir de l'hôtel et les regroupèrent. Au signal, ils commencèrent à leur tirer dessus.

Ce fut chacun pour soi. Les otages s'enfuirent autant qu'ils le purent. Malgré ce bain de sang, Patrick Nothomb ne s'évanouit pas : il ne faut pas sous-estimer la rage de survivre. Comme neuf otages sur dix, il fut inscrit au nombre des rescapés.

Note de l'auteur

Mon père, Patrick Nothomb, a publié un ouvrage en 1993 aux Éditions Racine (republié en 2007 aux Éditions Masoin, Bruxelles), intitulé *Dans Stanleyville*.

DU MÊME AUTEUR

Composition : IGS-CP
Impression en juin 2021
Éditions Albin Michel
22, rue Huyghens, 75014 Paris
www.albin-michel.fr
ISBN broché : 978-2-226-46538-2
ISBN luxe : 978-2-226-18522-8
Nº d'édition : 24606/01
Dépôt légal : août 2021
Imprimé au Canada chez Marquis imprimeur inc.